CW00428717

Abnehmen auf Knopfdruck

Band 2

Gesunde Low Carb Ernährungspläne für den Thermomix. In nur 6 Wochen schlank und fit werden! Über 150 ausgewählte Rezepte mit Nährwerten und Punkten

Anja Finke

Inhaltsverzeichnis

Einleitung

Herzlichen Glückwunsch!

Beim Abnehmen ist der erste Schritt meist der schwerste – ich kann dir an dieser Stelle gratulieren, denn du hast den ersten Schritt bereits getan, indem du dir dieses Buch gekauft hast. Gemeinsam können wir es schaffen, deine Ziele zu erreichen.

Du wirst sehen, warum die Low-Carb-Ernährung die optimale Ernährungsform ist, wenn du vorhast abzunehmen. Ausgehend von deiner bisherigen Ernährung kann die Umstellung länger oder kürzer sein und vielleicht musst du auch ein paar Rückschläge einstecken.

Doch der 6-Wochen-Ernährungsplan wird dir zeigen, wie vielfältig und genussvoll diese Ernährungsform ist. Du kannst bei deiner Umstellung komplett auf diesen Ernährungsplan setzen, was das Ganze viel einfacher machen wird. Und du sparst dir die Zeit und den Aufwand, welcher nötig wäre, wenn du dich durch die zahlreichen Rezepte im Internet und in diversen Kochbüchern wühlen müsstest.

Die Rezepte in diesem Ratgeber sind alle von mir getestet und bauen aufeinander auf. Geschmacklich bieten sie Abwechslung (du wirst zum Beispiel nicht 4 Tage in Folge Rührei zum Frühstück oder 5 Tage in Folge den gleichen Snack haben). Auch unter Berücksichtigung der Kalorien und des Zeitaufwandes, der für das Kochen notwendig ist, sind die Rezepte aufeinander abgestimmt. Dieses Buch und der Thermomix bilden den Kern deiner Ernährungsumstellung und der folgenden Abnahme.

Abnehmen wollen viele, den Anfang schaffen einige, doch zum Ziel kommen nur die Wenigsten!

Du wirst bemerken, dass dir die Ernährungsumstellung von Woche zu Woche leichter fällt und sie immer mehr zur Gewohnheit wird. Doch stell dir mal vor, du hättest ebendiesen Wochenplan nicht, dann wärst du komplett auf dich alleine gestellt. Du hättest zwar Zugriff auf viele Rezeptdatenbanken, aber müsstest dich jedes Mal neu dazu motivieren, wieder ein neues Rezept auszuprobieren. Du wüsstest nicht, was du wie kombinierst, wüsstest nicht, wie du angefangene Lebensmittel bei anderen Rezepten aufbrauchst, hättest keine optimale Abdeckung der Nährwerte und würdest vermutlich immer auf die gleichen Rezepte zurückgreifen, welche dir schon bekannt sind und welche dich schnell langweilen würden. All dies sind Probleme, welche dazu führen könnten, dass du an der Ernährungsumstellung scheiterst und langfristig nicht dein gewünschtes Gewichtsziel erreichst.

Hinweise zum Ernährungsplan

Die Rezepte sind für 2 Personen ausgelegt. Wenn du für deine Familie mitkochst oder dein Partner sich nicht nach dem Low-Carb-Plan ernähren möchte, dann kann man zu jedem Gericht Kohlenhydratbeilagen zubereiten. Diese können wahlweise Nudeln, Reis, Kartoffeln, Couscous oder auch Brot sein. Du solltest dabei jedoch darauf achten, dass du in etwa die Hälfte des angegebenen Rezeptes isst, damit du kein zu großes Kaloriendefizit fährst.

Wenn du dich an die angegebenen Mengen hältst, werden die Zutaten so gut wie vollständig aufgebraucht. Wird bei einem Rezept beispielsweise ein Becher Magerquark angebrochen, dann wird dieser innerhalb der nächsten Tage bei anderen Rezepten aufgebraucht. Dies hat den klaren Vorteil, dass nichts schlecht wird und du alle verwendeten Zutaten auch aufbrauchst.

Um die genauen Lebensmittel zu bestimmen, die du einkaufen musst, schau dir bitte am Anfang der Woche alle Rezepte an, die in den folgenden 7 Tagen auf dich zukommen. Mache daraus eine Einkaufsliste.

Teilweise musst du Zutaten am Vortag vorbereiten, daher schau dir auch immer die Pläne für den nächsten Tag an.

Ein weiterer wichtiger Aspekt der Ernährungspläne ist der Zeitfaktor. Wenn du eine Familie hast oder wenn du privat und beruflich stark eingespannt bist, wirst du wissen, was ich meine. Nicht jeder hat die Zeit, stundenlang in der Küche zu stehen. Die Ernährungspläne setzen sich daher aus Rezepten zusammen, die nicht aufwendig sind und welche du schnell zubereiten kannst. Teilweise werden auch Gerichte und Snacks in größeren Mengen zubereitet, damit du die vorgekochten Reste an anderen Tagen aufbrauchen kannst.

Aus den genannten Gründen (Zeit, Kalorienverteilung, Nährwertverteilung, Aufbrauchen von Lebensmitteln) ist es ratsam, die Gerichte nicht beliebig untereinander zu tauschen. Du kannst gerne mal das Abendessen und das Mittagessen vertauschen oder auch mal zwischen zwei Tagen die Gerichte tauschen. Aber im Allgemeinen solltest du darauf achten, dass du dich an die vorgegebenen Ernährungspläne hältst. Wenn es dir mal schwerer fallen sollte, dann mach dir bewusst, dass aller Anfang schwer ist und dass sich erst eine gewisse Routine einstellen muss, in welcher du dich nach und nach an die neue Ernährung und an die Rezepte gewöhnen wirst. Je besser du dich an den Plan hältst, desto leichter wird es dir mit der Zeit fallen – und wenn dann erst mal das Gewicht nach unten geht und du Resultate siehst, dann wird es noch einfacher werden.

Viel Spaß und Erfolg wünscht dir deine

Anja Finke

Ernährungsplan – Woche 1

TAG 1

Frühstück:	Mandelbrei mit Himbeeren
Mittagessen:	Herzhafte Pfannenkuchenrolle mit Curry-Hähnchen-Füllung
Abendessen:	Zucchinisuppe
Snack:	Knäckebrot mit Kichererbsenmehl

Frühstück

MANDELBREI MIT HIMBEEREN

2 Portionen

ZUTATEN:

- 280 ml Milch, fettarm
- 60 g Mandeln
- 30 g Haferkleie
- 2 EL Xucker light
- 125 g frische Himbeeren

ZUBEREITUNG:

1. Mahle zunächst die Mandeln für 10 Sekunden auf Stufe 8.
2. Nun gib die Haferkleie, die Milch und den Xucker hinzu.
3. Erhitze alles für 8 Minuten bei 100 °C im Linkslauf auf Stufe 2.
4. Anschließend verteilst du den Mandelbrei auf 2 Schälchen und verteilst die Himbeeren darauf.

Hinweis

Dauer: 10 min
Punkte (pro Portion): 10
Nährwerte (pro Portion): 370 kcal, 28 g KH, 14 g EW, 21 g FE

Mittagessen

HERZHAFTE PFANNKUCHENROLLE MIT CURRY-HÄHNCHEN-FÜLLUNG

2 Portionen

ZUTATEN:

Teig

- 3 Eier
- 80 g Frischkäse, 0,2 % Fett
- 1 gestr. TL Salz
- 2 Prisen Pfeffer
- 1 Prise Muskat

Füllung

- 1 Zwiebel
- 250 g Champignons, frisch
- 150 g Hähnchenbrustfilet, gewürfelt 1x1 cm
- 1 TL Currypulver
- 1 TL Kurkuma
- 50 ml Wasser
- 10 Stängel Petersilie, frisch
- 1 EL saure Sahne
- Salz und Pfeffer zum Abschmecken

ZUBEREITUNG:

Pfannkuchenteig:

1. Lege zunächst das Backblech mit Backpapier aus.
2. Anschließend gibst du alle Zutaten für den Teig in den Mixtopf und verrührst sie 15 Sekunden lang auf Stufe 4.
3. Verteile die Masse auf dem Backblech und gib dieses 10–12 Minuten lang bei 170 °C Ober-/Unterhitze in den Backofen. Du brauchst den Backofen nicht vorheizen. Der Pfannkuchenteig ist fertig, wenn die Ränder beginnen braun zu werden. Lass den Teig 10 Minuten abkühlen, bevor du ihn vom Backpapier löst.

Während der Pfannkuchen backt:

4. Schäle und halbiere die Zwiebel und gib sie zusammen mit den Champignons für 5 Sekunden bei Stufe 5 in den Mixtopf. Anschließend gibst du die gewürfelte Hähnchenbrust sowie Currypulver, Kurkuma und Wasser hinzu und garst alles 10 Minuten lang im Linkslauf bei 100 °C.
5. Füge die saure Sahne und die Petersilie, welche du zuvor klein geschnitten hast, hinzu und schmecke die Füllung mit etwas Salz und Pfeffer ab.
6. Bestreiche den Pfannkuchen mit der Füllung. Dabei lässt du auf einer Seite ca. 3 cm ohne Füllung. Abschließend rollst du den Teig von der Seite mit der Füllung her auf.
7. Fixiere die Pfannkuchenrolle mit Zahnstochern und schneide sie in etwa 2 cm breite Scheiben, welche du auf 2 Tellern servierst.

Hinweis

Dauer: 30 min
Punkte (pro Portion): 1
Nährwerte (pro Portion): 293 kcal, 11 g KH, 34 g EW, 12 g FE

Abendessen

ZUCCHINISUPPE

2 Portionen

ZUTATEN:

- 2 große Zucchini
- 30 g Butter
- 400 ml Gemüsebrühe
- 100 ml Sahne
- ¼ TL Muskatnuss
- 1 EL Olivenöl
- 2 EL Crème fraîche
- Salz und Pfeffer zum Abschmecken

ZUBEREITUNG:

1. Schneide zunächst 8 Scheiben von einer der beiden Zucchini ab.
2. Die restlichen Zucchini schneidest du in grobe Stücke. Gib diese zusammen mit der Butter für 7 Minuten im Linkslauf bei 100 °C auf Stufe 1 in den Mixtopf, um die Zucchini zu dünsten.
3. Anschließend fügst du die Gemüsebrühe hinzu und lässt alles für weitere 15 Minuten im Linkslauf bei 100 °C auf Stufe 1 aufkochen.
4. Während du die Suppe kochst, kannst du bereits die Zucchinischeiben mit dem Olivenöl in einer Pfanne anbraten und sie mit etwas Salz würzen.
5. Anschließend pürierst du die Suppe 20 Sekunden lang auf Stufe 10.
6. Gib nun die Sahne und die Muskatnuss hinzu und erwärme alles nochmal für 1 Minute auf Stufe 3 bei 100 °C. Bevor du die Suppe servierst, schmeckst du sie noch mit etwas Salz und Pfeffer ab.
7. Verteile die Suppe nun auf 2 Teller und gib jeweils 4 Zucchinischeiben und 1 EL Crème fraîche darüber.

Hinweis:

Dauer: 30 min
Punkte (pro Portion): 4
Nährwerte (pro Portion): 395 kcal, 7 g KH, 4 g EW, 38 g FE

Ergänzung:

Koche die doppelte Menge, wenn du dir später Zeit sparen willst. Die 2. Hälfte wird für das Mittagessen in Woche 1 / Tag 4 vorgekocht.

Snack

KNÄCKEBROT MIT KICHERERBSENMEHL

6 Portionen

ZUTATEN:

Teig

- 60 g Kichererbsenmehl
- 60 g Kokosmehl
- 100 g Leinsamen, geschrotet
- 80 g Haferkleie
- 100 g Sonnenblumenkerne
- 50 g Kürbiskerne
- 50 g Sesam, optional
- 5 g Salz
- 2 TL Brotgewürz, optional (je nach Geschmack)
- 20 g Flohsamenschalen
- 20 g Chiasamen
- 400 ml warmes Wasser

ZUBEREITUNG:

1. Gib alle Zutaten in den Mixtopf und verrühre sie 4 Minuten lang im Linkslauf auf Stufe 4. Du kannst zwischendurch alles mit dem Spatel noch einmal nach unten schieben.
2. Verteile nun die eher feste Masse auf einem Backblech, welches du zuvor mit Backpapier ausgelegt hast. Je nachdem, wie dick du den Teig lässt, wirst du 2 oder 3 Backbleche brauchen.
3. Da die Masse aufgrund der Feuchtigkeit schnell verarbeitet werden muss (Backpapier zieht Falten), verteilst du ca. ⅓ des Teiges auf dem ersten Backblech und bedeckst den Teig mit einem weiteren Stück Backpapier. Nun rollst du den Teig dünn aus.
4. Die Bleche gibst du einzeln und jeweils sofort nach dem Ausrollen in den vorgeheizten Backofen bei 160 °C Umluft.
5. Nach 10 Minuten Backzeit teilst du den Teig mit einem Pizzaschneider in einzelne Stücke.
6. Die Backzeit beträgt 50 Minuten (ab 45 Minuten kontrollieren – wenn sich die Ecken der einzelnen Stücke wölben, ist das Knäckebrot fertig).
7. Nach Ablauf der Backzeit löst du die Knäckebrote sofort mit Hilfe eines Pfannenwenders vom Backpapier und lässt sie auskühlen.

Hinweis:

Dauer: 2 h – 2 h 45 min (Zubereitungszeit 15 min, Backzeit 50 min pro Blech)
Punkte (pro Portion): 2
Nährwerte (pro Portion): 408 kcal, 21 g KH, 18 g EW, 26 g FE

Ergänzung:

Nimm ⅓ für heute und gib den Rest der Knäckebrote in eine Dose. Sie sind ein super Snack für zwischendurch oder eine Beilage für Suppen und Salate.

TAG 2

Frühstück:	Fitness-Frühstück mit Quark und Chiasamen
Mittagessen:	Tomaten mit Schafskäsefüllung
Abendessen:	Blumenkohlreis mit Hähnchenbrustfilet
Snack:	Erbsenmuffins

Frühstück

FITNESS-FRÜHSTÜCK MIT QUARK UND CHIASAMEN

2 Portionen

ZUTATEN:

- 250 g Magerquark
- 150 g Naturjoghurt, 1,5 %
- 50 ml Milch
- 100 g gefrorene Himbeeren
- 1 EL Chiasamen
- 1 TL Agavendicksaft
- 1 TL Zimt

ZUBEREITUNG:

1. Gib die Chiasamen zusammen mit der Milch in ein Schälchen und lasse sie 1 Stunde lang quellen.
2. Die leicht angetauten Himbeeren gibst du für 10 Sekunden auf Stufe 5 in den Mixtopf und füllst sie anschließend um.
3. Nun gibst du den Quark, den Joghurt, die gequollenen Chiasamen, den Agavendicksaft und den Zimt in den Mixtopf. Setze den Schmetterling ein und püriere die Zutaten 30 Sekunden lang auf Stufe 4.
4. Verteile den Quark auf 2 Teller und gib die Himbeeren darüber.
5. Abschließend schmeckst du alles mit etwas Zimt ab.

Hinweis:

Dauer: 10 min + 1 h Quellzeit
Punkte (pro Portion): 4
Nährwerte (pro Portion): 206 kcal, 19 g KH, 20 g EW, 4 g FE

Mittagessen

TOMATEN MIT SCHAFSKÄSE-FÜLLUNG

2 Portionen

ZUTATEN:

- 4 große Tomaten
- 1 Bund Rucola
- 1 Knoblauchzehe
- 100 g Schafskäse
- 10 grüne Oliven, entkernt
- 1 EL Olivenöl
- Salz und Pfeffer zum Abschmecken
- 1 EL Olivenöl zum Bepinseln

ZUBEREITUNG:

1. Schneide die obere Hälfte der Tomaten als Deckel ab. Hebe die Tomatendeckel auf und höhle die Tomaten mit Hilfe eines Löffels aus.
2. Gib den Rucola für 5 Sekunden auf Stufe 5 in den Mixtopf, um ihn zu zerkleinern. Fülle ihn im Anschluss um.
3. Nun schälst du den Knoblauch und gibst ihn ebenfalls für 5 Sekunden auf Stufe 5 in den Mixtopf.
4. Füge den Schafskäse und die Oliven hinzu und zerkleinere alles zusammen für 10 Sekunden auf Stufe 4.
5. Jetzt gibst du den Rucola und das Olivenöl hinzu, vermengst die Füllung 30 Sekunden lang im Linkslauf auf Stufe 1 und schmeckst sie mit Salz und Pfeffer ab.
6. Fülle nun die ausgehöhlten Tomaten mit der Schafskäsemasse, bepinsle sie mit Olivenöl und setze sie auf einen Grillrost. Die Tomatendeckel bepinselst du ebenfalls mit Olivenöl und legst sie neben die Tomaten auf den Rost.
7. Gib die Tomaten abschließend für 13 Minuten bei mittlerer Temperatur und Ober-/Unterhitze in den Ofen. Vor dem Servieren setzt du die Deckel wieder oben auf die gefüllten Tomaten.

Hinweis:

Dauer: 25 min
Punkte (pro Portion): 4
Nährwerte (pro Portion): 420 kcal, 6 g KH, 16 g EW, 34 g FE

Abendessen

BLUMENKOHLREIS MIT HÄHNCHENBRUSTFILET

2 Portionen

ZUTATEN:

- 500 g frische Blumenkohlröschen
- 300 g Hähnchenbrustfilet
- 1 EL Olivenöl
- 20 ml Milch, fettarm
- 1 Bund Schnittlauch
- Salz und Pfeffer zum Abschmecken

ZUBEREITUNG:

1. Trenne die einzelnen Blumenkohlröschen voneinander und gib sie zusammen mit dem Schnittlauch für 5 Sekunden auf Stufe 5 in den Mixtopf. Fülle die zerkleinerten Zutaten für später um.
2. Anschließend gibst du das Olivenöl für 3 Minuten auf Stufe 1 in den Mixtopf, um es bei 100 °C zu erhitzen.
3. Wenn das Olivenöl heiß ist, gibst du die Blumenkohlröschen und den Schnittlauch wieder zurück in den Mixtopf, fügst die Milch hinzu und lässt alles 15 Minuten lang im Linkslauf bei 100 °C auf Stufe eins garen.
4. Während der Blumenkohl gart, brätst du zwei Hähnchenbrustfilets in der Pfanne an.
5. Abschließend schmeckst du den Blumenkohl noch mit etwas Salz und Pfeffer ab.

Hinweis:

Dauer: 25 min
Punkte (pro Portion): 2
Nährwerte (pro Portion): 277 kcal, 7 g KH, 40 g EW, 10 g FE

Snack

ERBSENMUFFINS

9 Stück

ZUTATEN:

- 1 kleine Dose Erbsen, abgetropft
- 1 Ei
- 150 ml Milch, fettarm
- 35 g Mandelmehl
- 30 g Kokosmehl
- 2 TL Backpulver
- 1 TL Salz
- 1 Packung Speck

ZUBEREITUNG:

1. Heize den Backofen auf 200 °C Ober-/Unterhitze vor.
2. Danach gibst du alle Zutaten bis auf den Speck in den Mixtopf. Setze den Deckel und den Messbecher auf, um den Teig 45 Sekunden lang auf Stufe 2 zu verrühren.
3. Halbiere nun die Speckscheiben und lege sie über Kreuz auf den Boden deiner Muffinförmchen.
4. Den Teig verteilst du nun gleichmäßig auf die Förmchen und gibst diese für 25 Minuten in den vorgeheizten Backofen.

Hinweis:

Dauer: 35 min (Zubereitungszeit 10 min)
Punkte (pro Portion): 1
Nährwerte (pro Portion): 96 kcal, 4 g KH, 7 g EW, 6 g FE

Ergänzung:

3 heute essen und die restlichen einfrieren.

TAG 3

Frühstück:	*Frühstücksquark mit Himbeeren und Banane*
Mittagessen:	*Hackbällchen mit Zucchininudeln in Kräuter-Paprika-Rahmsoße*
Abendessen:	*Brokkoli-Lachs-Auflauf*
Snack:	*Spritzige Zitronenlimonade*

Frühstück

FRÜHSTÜCKSQUARK MIT HIMBEEREN UND BANANE

2 Portionen

ZUTATEN:

- 200 g TK-Himbeeren
- 2 kleine Bananen
- 250 g Quark, fettarm
- 50 ml Sahne
- 20 ml Leinöl
- 4 EL Chiasamen

ZUBEREITUNG:

1. Gib die Himbeeren für 5 Sekunden auf Stufe 10 in den Mixtopf.
2. Anschließend brichst du die Bananen in grobe Stücke und gibst sie für weitere 3 Sekunden auf Stufe 5 zu den Himbeeren in den Mixtopf.
3. Füge nun den Quark und die Sahne hinzu und verrühre alles zusammen 10 Sekunden lang auf Stufe 5.
4. Um alles zu binden, gib nun das Leinöl zu der Quarkspeise und stelle den Thermomix für 10 Sekunden auf Stufe 5.
5. Verteile die Quarkspeise auf 2 Schälchen und streue zum Abschluss die Chiasamen darüber.

Hinweis:

Dauer: 10 min
Punkte (pro Portion): 3
Nährwerte (pro Portion): 470 kcal, 31 g KH, 20 g EW, 28 g FE

Mittagessen

HACKBÄLLCHEN MIT ZUCCHININUDELN IN KRÄUTER-PAPRIKA-RAHMSOSSE

2 Portionen

ZUTATEN:

Hackbällchen

- 250 g Hackfleisch
- 1 kleine Zwiebel
- 1 TL Senf
- ¼ TL Salz
- TL Pfeffer
- 1 EL gemahlene Mandeln
- 1 Ei

Beilage

- 2 Zucchini, grob geraspelt
- 400 ml Gemüsebrühe

Soße

- 200 ml Garflüssigkeit
- 70 g Frischkäse, fettarm
- 50 g Schafskäse light
- 2 EL Ajvar
- 2 EL TK-Kräuter, z. B. Gartenkräuter
- 1 TL Guarkernmehl
- ¼ TL Pfeffer
- ½ TL Kräutersalz
- 2 TL Currypulver
- 2 TL Paprika Edelsüß

ZUBEREITUNG:

Hackbällchen:

1. Schäle und teile die Zwiebel in 4 Hälften und gib sie für 5 Sekunden auf Stufe 5 in den Mixtopf.
2. Danach gibst du die restlichen Zutaten für die Hackbällchen mit in den Mixtopf und verrührst alles 3 Minuten lang auf Stufe 2.
3. Währenddessen kannst du das Backpapier für den Einlegeboden zurechtschneiden. Aus der fertigen Masse formst du etwa gleichgroße Hackbällchen und verteilst diese auf dem Einlegeboden.

Zucchininudeln:

4. Gib die Brühe in den Mixtopf und verteile die geraspelten Zucchini im Varoma. Anschließend stellst du den Einlegeboden mit den Hackbällchen in den Varoma, setzt den Deckel darauf und stellst den Varoma auf den Mixtopf. Lass alles zusammen 25 Minuten lang auf Stufe 1 garen.

Soße:

5. Stelle den Varoma beiseite und halte die Hackbällchen warm, während du die Soße zubereitest.
6. Für die Soße fängst du 200 ml von der Garflüssigkeit auf und gibst diese wieder in den Mixtopf zurück.
7. Füge nun die restlichen Zutaten für die Soße hinzu und erwärme alles 4 Minuten lang bei 100 °C auf Stufe 3.
8. Anschließend lässt du die Soße kurz auf Stufe 2 aufkochen und direkt im Anschluss noch 10 Sekunden lang auf Stufe 7 schäumen.
9. Serviere nun die Hackbällchen zusammen mit den Zucchiniraspeln und gib die Soße darüber.

Hinweis:

Dauer: 45 min (Zubereitungszeit 30 min)
Punkte (pro Portion): 9
Nährwerte (pro Portion): 555 kcal, 19 g KH, 38 g EW, 35 g FE

Abendessen

BROKKOLI-LACHS-AUFLAUF

2 Portionen

ZUTATEN:

- 1 Brokkoli, in Röschen
- 100 g Räucherlachs, in Streifen
- 200 g kerniger Frischkäse
- 100 g Schmand
- 3 kleine Eier
- Salz, Pfeffer, Muskat und Dill zum Abschmecken

ZUBEREITUNG:

1. Fülle die Brokkoliröschen in das Garkörbchen, setze dieses in den Varoma ein und lass den Blumenkohl 13 Minuten auf Stufe 1 im Varoma garen.
2. Anschließend gibst du den gegarten Brokkoli zusammen mit dem Lachs in eine gefettete Auflaufform.
3. Leere nun den Mixtopf und gib den kernigen Frischkäse, den Schmand und die Eier in den Mixtopf. Vermenge alles 15 Sekunden lang auf Stufe 5 und schmecke es mit den Gewürzen ab.
4. Verteile die Soße über den Brokkoli und den Lachs und stelle den Auflauf 20 Minuten lang bei 200 °C Ober-/Unterhitze in den Backofen.

Hinweis:

Dauer: 45 min (Zubereitungszeit 10 min)
Punkte (pro Portion): 2
Nährwerte (pro Portion): 442 kcal, 10 g KH, 36 g EW, 27 g FE

Snack

SPRITZIGE ZITRONENLIMONADE

2 Portionen

ZUTATEN:

- 4 Zitronen, Bio
- 800 ml Mineralwasser
- 70 g Birkenzucker

ZUBEREITUNG:

1. Wasche und teile die Zitronen in vier Teile, bevor du sie in den Mixtopf gibst.
2. Anschließend gibst du das Mineralwasser und den Birkenzucker hinzu und drückst 4-mal, jeweils eine Sekunde, die Turbofunktion des Thermomix.
3. Du kannst die Zitronenlimonade nun für später in den Kühlschrank stellen oder direkt trinken. Gib direkt vor dem Trinken noch ein paar Eiswürfel hinzu.

Hinweis:

Dauer: 5 min
Punkte (pro Portion): 1
Nährwerte (pro Portion): 105 kcal, 24 g KH, 1 g EW, 1 g FE

TAG 4

Frühstück: *Eiweißbrot ohne Nüsse mit Frischkäse und Gurke*
Mittagessen: *Zucchinisuppe*
Abendessen: *Thunfisch-Wrap*
Snack: *Eiskaffee*

Frühstück

EIWEISSBROT OHNE NÜSSE MIT FRISCHKÄSE UND GURKE

1 Brot (Kastenform 25 cm) 6 Portionen

ZUTATEN:

Teig

- 250 g Haferkleie
- 50 g Weizenkleie
- 35 g Chiasamen
- 1 Pck. Backpulver
- 1 TL Salz
- 2 TL Brotgewürz
- 500 g Magerquark
- 5 große Eier
- 50 ml Wasser

Zum Bestreuen

- 35 g Sesam
- Belag
- 100 g Frischkäse, fettarm
- ⅓ Gurke

ZUBEREITUNG:

1. Heize den Backofen zunächst auf 170 °C Umluft vor.
2. Danach gibst du alle Zutaten für den Teig in den Mixtopf. Stell die Knetstufe ein und lass den Teig 4 Minuten lang durchkneten.
3. Zwischenzeitlich legst du eine Kastenform mit Backpapier aus.
4. Fülle den fertigen Teig in die Kastenform und streue den Sesam darüber.
5. Gib das Brot für 50 Minuten in den vorgeheizten Ofen und lass es abkühlen, bevor du es aus der Form nimmst und in Scheiben schneidest.

Hinweis:

Dauer: 1 h (Zubereitungszeit 10 min)
Punkte (pro Portion): 9
Nährwerte (pro Portion): 518 kcal, 37 g KH, 29 g EW, 28 g FE

Ergänzung:

Heute ein Drittel des Brotes für das Frühstück verwenden und den Rest in Scheiben schneiden und einfrieren.

Mittagessen

ZUCCHINISUPPE

2 Portionen

ZUTATEN:

- Suppe, bereits fertig
- 1 kleine Zucchini
- 1 EL Olivenöl
- 2 EL Crème fraîche
- Salz zum Abschmecken

ZUBEREITUNG:

1. Schneide zunächst die Zucchini in Scheiben und brate sie zusammen mit dem Olivenöl in einer Pfanne an. Würze sie dabei mit etwas Salz.
2. Währenddessen kannst du bereits die fertige Suppe von Tag 1 in einem Topf erwärmen.
3. Wenn du die Suppe aufgewärmt hast, verteile sie auf 2 Teller und gib jeweils die Hälfte der angebratenen Zucchinischeiben und 1 EL Crème fraîche darüber.

Hinweis:

Dauer: 5 min (Suppe bereits am Tag 1 zubereitet)
Punkte (pro Portion): 8
Nährwerte (pro Portion): 435 kcal, 8 g KH, 5 g EW, 42 g FE

Abendessen

THUNFISCH-WRAP

2 Portionen

ZUTATEN:

Teig

- 50 g Emmentaler
- 100 g Magerquark
- 2 kleine Eier
- 1 TL Salz
- ¼ TL Pfeffer

Füllung

- 100 g Schafskäse
- 2 Eier, hartgekocht
- 1 Dose Thunfisch im eigenen Saft
- 1 Zwiebel
- 1 Tomate
- 1 Portion Rucola
- ⅔ Gurke
- 50 g körniger Frischkäse

ZUBEREITUNG:

1. Heize den Ofen auf 180 °C vor.
2. Gib den Emmentaler für 5 Sekunden auf Stufe 5 in den Mixtopf.
3. Dann gibst du die restlichen Zutaten für den Teig mit in den Mixtopf. Lass alles 10 Sekunden lang auf Stufe 5 zu einem Teig verrühren.
4. Lege ein Backblech mit Backpapier aus und verteile den Teig gleichmäßig darauf. Schiebe das Backblech nun für 25 Minuten in den vorgeheizten Ofen und bereite in der Zwischenzeit die Füllung zu.
5. Schneide hierfür die gekochten Eier und die Tomaten in kleine Würfel. Die Zwiebel schälst du und schneidest sie, ebenso wie die Gurke, in dünne Scheiben.
6. Den Thunfisch lässt du gut abtropfen und den Rucola schneidest du in kleine Stücke.
7. Wenn der Teig fertig ist, holst du ihn aus dem Ofen und verteilst auf dem noch warmen Teig den Schafskäse und den körnigen Frischkäse.
8. Nun verteilst du die restlichen Zutaten gleichmäßig auf dem Teig.
9. Lass an einem Ende einen freien Rand von etwa 2 cm, auf dem du keine Füllung verteilst. Nun rollst du den Teig von der Seite auf, auf der die Füllung bis zum Rand geht.
10. Du kannst den Wrap nun noch mit Zahnstochern fixieren und abschließend in 2 Hälften teilen. Er lässt sich sowohl warm als auch kalt genießen.

Hinweis:

Dauer: 35 min (Zubereitungszeit 20 min)
Punkte (pro Portion): 8
Nährwerte (pro Portion): 190 kcal, 5 g KH, 18 g EW, 10 g FE

Snack

EISKAFFEE

2 Portionen

ZUTATEN:

- 25 g Xucker
- 1 EL löslicher Kaffee, gehäuft
- 100 g Eiswürfel
- 250 ml Milch, fettarm

ZUBEREITUNG:

1. Gib den Xucker und den löslichen Kaffee für 10 Sekunden auf Stufe 10 in den Mixtopf.
2. Danach gibst du die Eiswürfel hinzu und zerkleinerst sie 10 Sekunden lang auf Stufe 10.
3. Abschließend füllst du noch die Milch mit in den Mixtopf und schäumst alles zusammen 15 Sekunden lang auf Stufe 6 auf.
4. Verteile den Eiskaffee auf 2 Gläser und lass ihn nicht zu lange stehen, damit die Eiswürfel nicht komplett schmelzen.

Hinweis:

Dauer: 5 min
Punkte (pro Portion): 3
Nährwerte (pro Portion): 27 kcal, 4 g KH, 1 g EW, 1 g FE

TAG 5

Frühstück:	Frühstücksquark als Morgen-Kick
Mittagessen:	Schmelzkäse-Suppe
Abendessen:	Reste-Pizza
Snack:	Blumenkohl-Käse-Snack

Frühstück

FRÜHSTÜCKSQUARK ALS MORGEN-KICK

2 Portionen

ZUTATEN:

- 500 g Magerquark
- 1 EL Eiweißpulver, gehäuft
- 1 EL Agavendicksaft
- 200 ml Milch
- 2 EL Mandelblättchen
- 2 EL Kokosraspel

ZUBEREITUNG:

1. Gib den Magerquark, das Eiweißpulver, den Agavendicksaft und die Milch für 30 Sekunden auf Stufe 4 in den Mixtopf.
2. Anschließend verteilst du den Quark auf 2 Portionen und streust die Mandelblättchen und die Kokosraspel darüber.

Hinweis:

Dauer: 5 min
Punkte (pro Portion): 12
Nährwerte (pro Portion): 125 kcal, 7 g KH, 14 g EW, 5 g FE

Mittagessen

SCHMELZKÄSE-SUPPE

4 Portionen

ZUTATEN:

- 1 Zwiebel
- 40 g Butter
- 40 g Mehl
- 1 l Gemüsebrühe
- 250 g Schmelzkäse
- 100 ml Sahne 100 ml Milch, fettarm
- 100 g Erbsen
- Salz und Pfeffer zum Abschmecken
- etwas Schnittlauch zum Garnieren

ZUBEREITUNG:

1. Schäle und viertel die Zwiebel und gib sie für 5 Sekunden auf Stufe 5 in den Mixtopf.
2. Jetzt gibst du die Butter dazu und dünstest die Zwiebel 3 Minuten lang auf Stufe 1 an.
3. Füge nun das Mehl hinzu und verrühre es mit der Zwiebel und der Butter, um es 2 Minuten lang bei 100 °C auf Stufe 2 anzuschwitzen.
4. Danach löschst du es mit der Gemüsebrühe ab, gibst den Schmelzkäse hinzu und vermengst alles zusammen für 30 Sekunden auf Stufe 4.
5. Nun stellst du den Mixtopf auf 10 Minuten und lässt die Suppe bei 100 °C auf Stufe 2 leicht köcheln.
6. Füge anschließend die Sahne, die Milch und die Erbsen hinzu, schmecke die Suppe mit Salz und Pfeffer ab und püriere sie 15 Sekunden lang auf Stufe 8.
7. Verteile nun die Hälfte der Suppe auf 2 Teller und gib etwas Schnittlauch darüber.
8. Den Rest der Suppe frierst du für Woche 2 / Tag 1 ein.

Hinweis:

Dauer: 25 min
Punkte (pro Portion): 13
Nährwerte (pro Portion): 390 kcal, 15 g KH, 5 g EW, 33 g FE

Ergänzung:

Verwende die restliche Suppe für das Abendessen in Woche 2 / Tag 1.

Abendessen

RESTE-PIZZA

2 Portionen

ZUTATEN:

Teig

- 150 g geschrotete Leinsamen
- 2 Eier
- 80 g geriebener Parmesan
- 1 Prise Salz

Belag

250 g Tomatensoße, zuckerfrei
150 g Lachs
250 g Pilze
150 g Gouda light

ZUBEREITUNG:

1. Heize zunächst den Backofen auf 180 °C Ober-/Unterhitze vor.
2. Nun gibst du die Zutaten für den Teig in den Thermomix, um sie 10 Sekunden lang auf Stufe 4 zu vermengen.
3. Lege ein Backblech mit Backpapier aus, gib den Teig darauf und rolle ihn mit einem Nudelholz aus. Den Teig gibst du 8 Minuten lang in den vorgeheizten Backofen.
4. Währenddessen kannst du den Gouda reiben und die Pilze in Scheiben schneiden.
5. Wenn der Teig fest ist, nimmst du ihn wieder aus dem Ofen. Verteile die Tomatensoße auf dem Teig und belege ihn mit dem Lachs und den Pilzen.
6. Anschließend verteilst du den geriebenen Gouda auf der Pizza und gibst sie noch einmal für 18 Minuten bei 200 °C Ober-/Unterhitze in den Backofen.

Hinweis:

Dauer: 45 min (Zubereitungszeit 15 min)
Punkte (pro Portion): 19
Nährwerte (pro Portion): 339 kcal, 4 g KH, 25 g EW, 24 g FE

Snack

BLUMENKOHL-KÄSE-SNACK

2 Portionen

ZUTATEN:

- 50 g Parmesan
- 100 g Gouda light
- 300 g Blumenkohl
- 1 Ei
- 2 TL Oregano
- Salz und Pfeffer zum Abschmecken

ZUBEREITUNG:

1. Schneide den Parmesan in grobe Stücke und gib diese 15 Sekunden lang auf Stufe 10 in den Mixtopf. Fülle den zerkleinerten Parmesan in ein Schälchen und stelle dieses für später zur Seite.
2. Dann gibst du den Gouda für 10 Sekunden auf Stufe 5 in den Mixtopf und gibst ihn ebenfalls für später in ein Schälchen.
3. Zerteile nun den Blumenkohl in grobe Röschen und gib diese 6 Sekunden lang auf Stufe 5 in den Mixtopf.
4. Nun fügst du den Parmesan, die Hälfte des Goudas, das Ei und den Oregano zum Blumenkohl hinzu und vermengst alles 10 Sekunden lang im Linkslauf auf Stufe 5.
5. Verteile die Blumenkohl-Käse-Masse auf einem Backblech, welches du zuvor mit Backpapier ausgelegt hast, und streiche die Masse glatt.
6. Gib das Backblech 20 Minuten lang bei 170 °C Heißluft in den Ofen.
7. Verteile im Anschluss den restlichen Gouda über der Blumenkohl-Käse-Masse und gib das Backblech abschließend für weitere 10 Minuten in den Backofen.

Hinweis:

Dauer: 1 h (Zubereitungszeit 30 min)
Punkte (pro Portion): 8
Nährwerte (pro Portion): 721 kcal, 4 g KH, 63 g EW, 48 g FE

TAG 6

Frühstück:	Heidelbeer-Quark
Mittagessen:	Gefüllte Aubergine
Abendessen:	Hühnerfrikassee-Suppe
Snack:	Rucola-Dip + Rohkost

Frühstück

HEIDELBEER-QUARK

2 Portionen

ZUTATEN:

- 500 g Magerquark
- 250 g Heidelbeeren
- 10 g Leinsamen
- 10 g Nüsse
- 1 TL Leinöl
- 1 TL Zimt
- ½ TL Kurkuma

ZUBEREITUNG:

1. Gib die Leinsamen für 10 Sekunden auf Stufe 10 in den Mixtopf, um sie zu schroten.
2. Anschließend gibst du die Nüsse für 10 Sekunden auf Stufe 10 hinzu, um diese zu zerkleinern.
3. Gib nun die restlichen Zutaten, bis auf die Heidelbeeren, mit in den Mixtopf und vermenge alles 1 Minute lang auf Stufe 4.
4. Verteile den Quark auf 2 Schälchen und gib abschließend die Heidelbeeren darüber.

Hinweis:

Dauer: 10 min
Punkte (pro Portion): 6
Nährwerte (pro Portion): 224 kcal, 17 g KH, 22 g EW, 7 g FE

Mittagessen

GEFÜLLTE AUBERGINE

2 Portionen

ZUTATEN:

- 2 Auberginen
- 2 Zwiebeln
- 1 Knoblauchzehe
- 100 g Gouda light
- 200 g Rinderhack
- 100 g Schmand
- 1 Ei
- 1 EL gehackte frische Kräuter
- 1 TL Pfeffer
- 1 TL Salz
- 180 ml Gemüsebrühe
- 20 g Tomatenmark

ZUBEREITUNG:

1. Gib zunächst den Gouda 10 Sekunden lang auf Stufe 5 in den Thermomix. Danach füllst du ihn in ein Schälchen um und stellst dieses für später zur Seite.
2. Nun schneidest du den Strunk von den Auberginen ab und halbierst diese.
3. Entferne mit einem Löffel das Fruchtfleisch und gib dieses in den Mixtopf.
4. Anschließend schälst und halbierst du die Zwiebel und die Knoblauchzehe und gibst beides zusammen mit den Kräutern in den Mixtopf zu dem Auberginen-Fruchtfleisch. Zerkleinere alles 3 Sekunden lang auf Stufe 6.
5. Nun gibst du das Hackfleisch, den Schmand, das Ei, den Pfeffer, das Salz und 1 EL von dem zerkleinerten Gouda mit in den Mixtopf, um alles 1 Minute lang auf Stufe 4 miteinander zu vermengen.
6. Heize nun den Backofen auf 200 °C Ober-/Unterhitze vor.
7. Verteile die Auberginenhälften in einer Auflaufform, befülle sie mit der Masse aus dem Mixtopf und streue den übrigen Gouda darüber.
8. Nun gibst du die Gemüsebrühe und das Tomatenmark für 2 Minuten auf Stufe 2 bei 100 °C in den Mixtopf, um die Soße zu erwärmen.
9. Gib die Soße zu den Auberginenhälften in die Auflaufform und gib diese mit einem Deckel für 30 Minuten in den vorgeheizten Backofen.
10. Im Anschluss nimmst du den Deckel ab und gibst die Auflaufform noch einmal für 20 Minuten bei 220 °C in den Backofen.

Hinweis:

Dauer: 1h 15 min (Zubereitungszeit 25 min)
Punkte (pro Portion): 18
Nährwerte (pro Portion): 624 kcal, 24 g KH, 42 g EW, 38 g FE

Abendessen

HÜHNERFRIKASSEE-SUPPE

2 Portionen

ZUTATEN:

- 200 g Hähnchenbrustfilet
- 20 g Butter
- 1 kleine Dose Champignons
- 1 kleines Glas Spargel
- 300 ml Gemüsebrühe
- 100 ml Sahne
- 1 EL Mehl
- 1 TL Zitronensaft
- Salz und Pfeffer zum Abschmecken

ZUBEREITUNG:

1. Schneide die Hähnchenbrustfilets in Streifen und den Spargel in einzelne Stücke.
2. Danach gibst du die Gemüsebrühe in den Mixtopf.
3. Nun verteilst du die Hähnchenbrustfilet-Streifen auf dem Varoma-Einlegeboden und die Champignons und die Spargelstücke im Varoma.
4. Verschließe alles und lass das Fleisch und das Gemüse 35 Minuten lang auf Stufe 1 garen.
5. Im Anschluss stellst du den Varoma zur Seite und fängst die Flüssigkeit aus dem Mixtopf auf.
6. Nun gibst du die Butter und das Mehl für 3 Minuten bei 100 °C auf Stufe 2 in den Mixtopf, um sie anzuschwitzen.
7. Im Anschluss gibst du 300 ml der aufgefangenen Flüssigkeit und den Zitronensaft mit zur Mehlschwitze und verrührst alles 3 Sekunden lang auf Stufe 4. Danach lässt du alles 5 Minuten lang bei 100 °C auf Stufe 2 aufkochen.
8. Nun gibst du die gegarten Hähnchenbrustfilet-Streifen und die Sahne zur Soße hinzu und lässt sie für weitere 3 Minuten bei 100 °C auf Stufe 2 im Linkslauf aufkochen.
9. Abschließend gibst du den Spargel und die Champignons hinzu, vermengst alles und verteilst die Suppe auf 2 Teller.

Hinweis:

Dauer: 1 h (Zubereitungszeit 25 min)
Punkte (pro Portion): 11
Nährwerte (pro Portion): 384 kcal, 10 g KH, 29 g EW, 24 g FE

Snack

RUCOLA-DIP

2 Portionen

ZUTATEN:

Dip

- 1 Bund Rucola
- 1 Zwiebel
- 1 rote Paprika
- 250 g Frischkäse
- Salz und Pfeffer zum Abschmecken

Rohkost

- ½ Gurke
- 250 g Cocktailtomaten
- 1 kleiner Kohlrabi

ZUBEREITUNG:

1. Bereite zunächst den Dip zu. Hierfür entkernst du die Paprika und schneidest diese in grobe Stücke, welche du in den Mixtopf gibst.
2. Die Zwiebel schälst und viertelst du, bevor du sie ebenfalls in den Mixtopf gibst.
3. Gib nun noch den Rucola hinzu und zerkleinere alles 5 Sekunden lang auf Stufe 5.
4. Anschließend fügst du den Frischkäse hinzu, würzt den Dip mit Salz und Pfeffer und verrührst ihn 7 Sekunden lang auf Stufe 4. Du kannst ihn nun nochmal mit Salz und Pfeffer abschmecken.
5. Fülle den Dip in ein Schälchen und bereite anschließend das Gemüse zum Dippen vor.
6. Die Gurke schneidest du in dicke Scheiben, die Cocktailtomaten kannst du zum Dippen ganz lassen und den Kohlrabi schälst du, um ihn anschließend in Stifte zu schneiden.

Hinweis:

Dauer: 25 min
Punkte (pro Portion): 2
Nährwerte (pro Portion): 469 kcal, 25 g KH, 15 g EW, 33 g FE

TAG 7

Frühstück:	Brötchen mit Ei und Gouda
Mittagessen:	Gefüllte Zucchini Mediterran
Abendessen:	Kürbiseintopf mit Hähnchenbrustfilet
Snack:	Quarkschnitten

Frühstück

BRÖTCHEN MIT EI UND GOUDA

8 Portionen

ZUTATEN:

Teig

- 100 g Mandeln
- 100 g Sesam
- 50 g Flohsamenschalen
- 50 g Sonnenblumenkerne
- 2 EL Kokosflocken
- 200 g körniger Frischkäse
- 5 Eier
- 1 Pck. Backpulver
- 1 TL Salz
- 1 TL Brotgewürz
- 1 EL Apfelessig

Belag

- 50 g körniger Frischkäse
- ½ Gurke
- 2 Eier, hartgekocht
- 50 g Gouda

ZUBEREITUNG:

1. Bevor du anfängst den Teig zuzubereiten, kannst du den Backofen bereits auf 180 °C Ober-/ Unterhitze vorheizen.
2. Nun gibst du die Mandeln für 15 Sekunden auf Stufe 10 in den Mixtopf, um sie zu mahlen. Fülle die gemahlenen Mandeln danach in ein Schälchen um.
3. Die Kokosflocken gibst du ebenfalls 15 Sekunden lang auf Stufe 10 in den Mixtopf, um sie zu mahlen.
4. Gib nun die gemahlenen Mandeln zusammen mit den anderen trockenen Zutaten für den Teig in den Mixtopf und vermenge sie 20 Sekunden lang auf Stufe 4.
5. Anschließend fügst du den Frischkäse, die Eier und den Apfelessig hinzu und lässt den Teig 3 Minuten lang in der Knetstufe durchkneten.
6. Feuchte deine Hände mit Wasser an und forme 8 etwa gleichgroße Brötchen aus dem Teig. Verteile die Brötchen auf einem Backblech, welches du zuvor mit Backpapier ausgelegt hast, und schiebe die Brötchen für 45 Minuten in den vorgeheizten Backofen.
7. 4 der Brötchen sind für das heutige Frühstück und die restlichen frierst du ein.
8. Als Belag nimmst du den körnigen Frischkäse, Gouda und eine halbe Gurke vom Vortag und kochst 2 Eier in einem Topf.

Hinweis:

Dauer: 1 h (Zubereitungszeit 20 min)
Punkte (pro Portion): 2
Nährwerte (pro Portion): 388 kcal, 7 g KH, 15 g EW, 32 g FE

Mittagessen

GEFÜLLTE ZUCCHINI MEDITERRAN

2 Portionen

ZUTATEN:

- 2 Zucchini
- 1 Zwiebel
- 150 g Feta
- 4 Tomaten
- 100 g Frischkäse, fettreduziert
- 10 ml Olivenöl
- 100 g Schinkenwürfel
- 1 TL Paprikapulver
- Salz, Pfeffer und italienische Kräuter zum Abschmecken

ZUBEREITUNG:

1. Halbiere zunächst die Zucchini der Länge nach und entferne das Fruchtfleisch mit einem Löffel. Gib das Fruchtfleisch in eine Schüssel und stell diese für später zur Seite.
2. Anschließend schälst und viertelst du die Zwiebel und gibst diese 5 Sekunden lang auf Stufe 5 in den Mixtopf.
3. Gib das Fruchtfleisch der Zucchini wieder mit in den Mixtopf und vermenge alles 4 Sekunden lang auf Stufe 4.
4. Anschließend fügst du die Schinkenwürfel, die Tomaten und das Olivenöl zum Fruchtfleisch hinzu und dünstest alles 5 Minuten lang auf Stufe 1 im Linkslauf im Varoma an.
5. Gib anschließend die restlichen Zutaten mit in den Mixtopf und lass diesen 3 Sekunden lang auf Stufe 4 laufen, bevor du die Masse mit den Gewürzen abschmeckst.
6. Befülle die Zucchini mit der Masse, verteile sie auf dem Varoma Einlegeboden und befülle den Mixtopf mit Wasser. Setze nun den Varoma darauf und lass ihn 35 Minuten lang im Linkslauf laufen.

Hinweis:

Dauer: 1 h (Zubereitungszeit 15 min)
Punkte (pro Portion): 7
Nährwerte (pro Portion): 409 kcal, 16 g KH, 36 g EW, 21 g FE

Abendessen

KÜRBISEINTOPF MIT HÄHNCHENBRUSTFILET

2 Portionen

ZUTATEN:

- 150 g Hähnchenbrustfilet
- 1 Zwiebel
- 1 kleiner Hokkaido-Kürbis
- 1 Dose Kokosnussmilch
- 250 ml Gemüsebrühe
- 1 EL Olivenöl
- 1 TL Currypulver
- 1 TL Paprika edelsüß
- 1 TL Salz
- ⅓ TL Pfeffer

ZUBEREITUNG:

1. Du schälst und viertelst zunächst die Zwiebel und gibst diese 5 Sekunden lang auf Stufe 5 in den Mixtopf.
2. Füge nun das Olivenöl hinzu und dünste die Zwiebel 3 Minuten lang im Varoma auf Stufe 1 an.
3. Nun gibst du die Kokosnussmilch und die Gewürze hinzu und vermengst alles 5 Sekunden lang auf Stufe 5.
4. Würfle den Kürbis und das Hähnchenbrustfilet. Verteile die Kürbiswürfel im Varoma und fülle den Mixtopf mit der Gemüsebrühe auf.
5. Lege nun den Einsatz des Varomas mit Backpapier aus und verteile das gewürfelte Hähnchenbrustfilet darauf.
6. Nun garst du alles zusammen für 20 Minuten auf Stufe 1,5 im Varoma.
7. Stelle danach den Varoma zur Seite, setze den Messbecher ein, gib die Kürbiswürfel hinzu und püriere die Zutaten 15 Sekunden lang im Mixtopf. Stelle die Stufe hierfür langsam bis Stufe 9 hoch.
8. Schmecke den Kürbiseintopf nun noch einmal mit den Gewürzen ab, gib das Hähnchenbrustfilet hinzu und serviere den Eintopf auf 2 Tellern.

Hinweis:

Dauer: 40 min (Zubereitungszeit 20 min)
Punkte (pro Portion): 12
Nährwerte (pro Portion): 549 kcal, 35 g KH, 23 g EW, 34 g FE

Snack

QUARKSCHNITTEN

2 Portionen

ZUTATEN:

Teig

- 2 Eier
- 1 Vanilleschote
- 25 g Mandelmehl
- 10 g Kokosmehl
- 35 g Xucker
- 10 g Backkakao
- 10 ml Mineralwasser
- 1 Pck. Backpulver

Füllung

- 250 g Magerquark
- 40 g Xucker
- 1 Pck. Gelatinepulver
- 3 EL Wasser
- 1 Vanilleschote
- 2 TL Zitronensaft

ZUBEREITUNG:

Füllung

1. Für die Füllung vermengst du das Gelatinepulver mit dem Wasser und lässt es 10 Minuten stehen. Dann gibst du die fest gewordene Gelatine 2 Minuten lang bei 70 °C auf Stufe 1 in den Mixtopf. Die Gelatine sollte sich hierbei auflösen.
2. Anschließend gibst du die restlichen Zutaten für die Füllung hinzu, setzt den Schmetterling ein und vermengst alles 2 Minuten lang auf Stufe 4.
3. Fülle die Füllung im Anschluss in ein Schälchen und stelle sie 2 Stunden lang im Kühlschrank kalt.
4. In der Zwischenzeit kannst du den Teig zubereiten. Hierfür heizt du den Backofen auf 180 °C Umluft vor.
5. Dann gibst du die Eier, das Mark der Vanilleschote und den Xucker in den Mixtopf und vermischst alles 30 Sekunden lang auf Stufe 4, bis die Masse cremig ist.
6. Gib nun die restlichen Zutaten für den Teig hinzu und vermische alles 30 Sekunden lang auf Stufe 4.
7. Lege ein Backblech mit Backpapier aus, verteile die Teigmasse darauf und gib das Backblech 15 Minuten lang in den vorgeheizten Backofen.
8. Lass den Teig nun abkühlen und schneide ihn in der Mitte durch.
9. Die fest gewordene Quarkmasse gibst du noch einmal 10 Sekunden lang auf Stufe 4 in den Mixtopf, um sie cremig zu schlagen, bevor du die eine Teighälfte damit bestreichst.
10. Lege die 2. Teighälfte auf die Quarkmasse, drücke sie leicht an und schneide sie in einzelne Quarkschnitten.
11. Stelle die Quarkschnitten nun noch über Nacht in den Kühlschrank.

Hinweis:

Dauer: 2 h (Zubereitung 30 min, 2 h kaltstellen) + über Nacht in den Kühlschrank
Punkte (pro Portion): 4
Nährwerte (pro Portion): 324 kcal, 27 g KH, 32 g EW, 9 g FE

Ernährungsplan – Woche 2

TAG 1

Frühstück:	Frühstücks-Shake
Mittagessen:	Ofen-Gemüse
Abendessen:	Schmelzkäse-Suppe
Snack:	Kokoskuchen

Frühstück

FRÜHSTÜCKS-SHAKE

2 Portionen

ZUTATEN:

- 50 g Mandeln
- 50 g Haferflocken
- 2 TL Chiasamen
- 2 TL Flohsamenschalen
- 2 TL Hirseflocken
- 2 TL Leinsamen
- 2 TL Weizenkeime
- 2 Äpfel
- 2 Birnen
- 1 Banane
- 800 ml Wasser

ZUBEREITUNG:

1. Gib alle trockenen Zutaten für 10 Sekunden auf Stufe 10 in den Mixtopf, um sie zu mahlen.
2. Dann schälst und entkernst du die Äpfel und die Birnen. Die Banane schälst du ebenfalls und gibst das Obst in groben Stücken mit in den Mixtopf.
3. Gib das Wasser hinzu und püriere den Shake 10 Sekunden lang auf Stufe 8.

Hinweis:

Dauer: 10 min
Punkte (pro Portion): 10
Nährwerte (pro Portion): 487 kcal, 58 g KH, 13 g EW, 21 g FE

Mittagessen

OFEN-GEMÜSE

2 Portionen

ZUTATEN:

Gemüse

- 2 Zucchini
- 2 Paprika
- 10 Cocktailtomaten
- 100 g Feta

Marinade

- 3 EL Olivenöl
- 1 EL Balsamico-Essig
- 3 EL Tomatenmark
- 1 TL Salz
- 1 Prise Pfeffer
- 3 TL Kräuter der Provence

ZUBEREITUNG:

1. Entkerne und würfle die Paprika. Die Zucchini halbierst du längs und schneidest sie dann in Scheiben. Die Cocktailtomaten kannst du halbieren. Nun gibst du das Gemüse in eine Schüssel und bereitest die Marinade zu.
2. Für die Marinade gibst du alle benötigten Zutaten in den Mixtopf und verrührst sie 10 Sekunden lang auf Stufe 3.
3. Danach gibst du die Marinade über das Gemüse in der Schüssel. Vermenge alles vorsichtig und stelle die Schüssel 15 Minuten lang in den Kühlschrank, damit die Marinade durchziehen kann.
4. Heize zwischenzeitlich den Backofen auf 200 °C Ober-/Unterhitze vor.
5. Verteile dann das Gemüse in einer Auflaufform und zerbrösle den Feta darüber.
6. Die Auflaufform gibst du zunächst für 10 Minuten in den vorgeheizten Backofen.
7. Nach 10 Minuten stellst du den Ofen auf 250 °C Ober-/Unterhitze und lässt den Auflauf abschließend für weitere 10 Minuten im Backofen.

Hinweis:

Dauer: 1 h (Zubereitungszeit 20 min)
Punkte (pro Portion): 9
Nährwerte (pro Portion): 494 kcal, 31 g KH, 17 g EW, 32 g FE

Abendessen

SCHMELZKÄSE-SUPPE

4 Portionen

ZUTATEN:

- Suppe, bereits fertig
- 150 g Schinkenwürfel
- 1 EL Olivenöl

ZUBEREITUNG:

1. Nimm die Suppe bereits am Vortag aus der Gefriertruhe, um sie aufzutauen.
2. Zum Erwärmen gibst du sie in einen Topf, erwärmst sie langsam und schmeckst sie abschließend noch einmal mit etwas Salz und Pfeffer ab.
3. Während du die Suppe erwärmst, brätst du die Schinkenwürfel mit dem Olivenöl in einer Pfanne an.
4. Verteile die Suppe auf 2 Teller und gib die angebratenen Schinkenwürfel darüber.

Hinweis:

Dauer: 5 min (Suppe bereits zubereitet und eingefroren)
Punkte (pro Portion): 16
Nährwerte (pro Portion): 485 kcal, 14 g KH, 24 g EW, 36 g FE

Snack

KOKOSKUCHEN

12 Portionen

ZUTATEN:

Teig

- 4 große Eier
- 60 g Kokosöl
- 1 Prise Salz
- 30 g Honig
- 70 g Kokosmehl
- 1 TL Backpulver

Zimttopping

- 40 g Kokosöl
- 40 g Kokosblütenzucker
- 20 g Kokosmehl
- 2 TL Zimt

ZUBEREITUNG:

1. Fette die Kastenform ein und bestäube sie mit etwas Kokosmehl.
2. Heize den Ofen auf 175 °C Ober-/Unterhitze vor.
3. Für den Kuchenteig trennst du zunächst die Eier. Gib die Eiweiße mit dem Salz in den Mixtopf, setz den Schmetterling ein und schlage die Eiweiße 4 Minuten auf Stufe 3,5 steif. Fülle den Eischnee für später in eine Schüssel um.
4. Nun gibst du das Kokosöl, den Honig und die Eigelbe für 2 Minuten auf Stufe 4 in den Mixtopf.
5. Gib anschließend das Backpulver und das Kokosmehl hinzu und vermenge alles für 1 Minute auf Stufe 4.
6. Hebe nun den Eischnee vorsichtig unter. Fülle den fertigen Kuchenteig in deine Kastenform und streiche ihn glatt.
7. Bereite nun das Zimttopping zu. Hierfür gibst du das Kokosöl und den Kokosblütenzucker 1 Minute lang auf Stufe 4 in den Mixtopf.
8. Danach gibst du das Kokosmehl und den Zimt hinzu und verrührst alles nochmal 20 Sekunden lang auf Stufe 4.
9. Verteile das Zimttopping auf dem Kuchenteig und gib den Kuchen 35 Minuten in den vorgeheizten Backofen.
10. Lasse den Kuchen anschließend auskühlen und teile ihn in 3 gleichgroße Teile. 1 Teil ist der Snack für heute und die anderen beiden Teile frierst du ein.

Hinweis:

Dauer: 1 h (Zubereitungszeit 25 min)
Punkte (pro Portion): 6
Nährwerte (pro Portion): 145 kcal, 8 g KH, 3 g EW, 11 g FE

TAG 2

Frühstück:	Quinoa-Kokos-Frühstück mit Beeren
Mittagessen:	Puten-Cannelloni
Abendessen:	Gemüse-Rinderhack-Eintopf
Snack:	Knäckebrot mit Kichererbsenmehl

Frühstück

QUINOA-KOKOS-FRÜHSTÜCK MIT BEEREN

2 Portionen

ZUTATEN:

- 100 g Quinoa
- 200 ml Kokosmilch, fettreduziert
- 10 g Honig
- 20 g Kokosraspel
- 40 g Himbeeren
- 40 g Blaubeeren

ZUBEREITUNG:

1. Wasche die Quinoa 2-mal mit heißem Wasser, damit die Bitterstoffe verschwinden.
2. Danach gibst du die Quinoa zusammen mit der Kokosmilch und dem Honig für 20 Minuten auf Stufe 1 bei 90 °C in den Mixtopf.
3. Abschließend gibst du das Obst mit in den Mixtopf und vermengst alles 5 Sekunden lang auf Stufe 3.

Hinweis:

Dauer: 25 min
Punkte (pro Portion): 20
Nährwerte (pro Portion): 497 kcal, 39 g KH, 8 g EW, 27 g FE

Mittagessen

PUTEN-CANNELLONI

2 Portionen

ZUTATEN:

- 100 g Gouda
- 3 Karotten
- 1 mittelgroße Zucchini
- 100 g Champignons
- 1 Zwiebel
- 1 Zehe Knoblauch
- 50 g Frischkäse
- 10 ml Olivenöl
- 200 g Putenbrustaufschnitt
- 1 Dose stückige Tomaten
- Salz und Pfeffer zum Abschmecken

ZUBEREITUNG:

1. Gib den Gouda 10 Sekunden lang auf Stufe 5 in den Mixtopf, um ihn zu zerkleinern. Fülle den Käse für später in ein Schälchen um.
2. Danach schälst du die Zwiebel, den Knoblauch, die Karotten und die Champignons. Gib das geschälte Gemüse und die Zucchini, in groben Stücken, für 10 Sekunden auf Stufe 5 in den Mixtopf.
3. Dann gibst du das Olivenöl hinzu und dünstest das Gemüse, ohne Messbecher, 7 Minuten lang auf Stufe 1,5 an.
4. Gib den Frischkäse und etwas Salz und Pfeffer hinzu und vermenge alles 15 Sekunden lang auf Stufe 3.
5. Leg nun den Putenbrustaufschnitt in Scheiben nebeneinander und streich die Masse, welche du zuvor etwas abkühlen lässt, jeweils auf das untere Drittel des Aufschnitts.
6. Rolle die Scheiben auf und lege sie jeweils mit der Naht nach unten in eine Auflaufform.
7. Nun gibst du die pürierten Tomaten und etwas Salz und Pfeffer in den Mixtopf. Den Mixtopf brauchst du zuvor nicht zu spülen. Lasse die Tomatensoße 10 Sekunden lang auf Stufe 3 laufen.
8. Verteile die Soße über den Röllchen und streue den Käse darüber.
9. Abschließend gibst du die Auflaufform für 25 Minuten bei 175 °C Ober-/Unterhitze in den Backofen.

Hinweis:

Dauer: 45 min (Zubereitungszeit 20 min)
Punkte (pro Portion): 6
Nährwerte (pro Portion): 575 kcal, 29 g KH, 43 g EW, 30 g FE

Abendessen

GEMÜSE-RINDERHACK-EINTOPF

2 Portionen

ZUTATEN:

- 1 Zwiebel
- 1 Zucchini
- 1 Paprika
- 150 ml Gemüsebrühe
- 150 ml Rama Cremefine, 7 %
- 1 Dose passierte Tomaten
- 250 g Rinderhackfleisch
- 50 g rote Linsen
- Salz, Pfeffer und Kräuter zum Abschmecken

ZUBEREITUNG:

1. Schäle und halbiere zunächst die Zwiebel und gib sie 5 Sekunden lang auf Stufe 5 in den Mixtopf.
2. Danach entkernst du die Paprika und schneidest sie, zusammen mit der Zucchini, in grobe Stücke. Gib diese ebenfalls mit in den Mixtopf und zerkleinere das Gemüse 5 Sekunden lang auf Stufe 4.
3. Nun lockerst du das Rinderhackfleisch auf, fügst es hinzu und dünstest es 10 Minuten lang im Linkslauf im Varoma an.
4. Füge die restlichen Zutaten hinzu und lass alles für 20 Minuten bei 95 °C im Linkslauf leicht köcheln.
5. Abschließend kannst du den Eintopf erneut mit den Gewürzen abschmecken.

Hinweis:

Dauer: 30 min
Punkte (pro Portion): 21
Nährwerte (pro Portion): 390 kcal, 42 g KH, 37 g EW, 16 g FE

Snack

KNÄCKEBROT MIT KICHERERBSENMEHL

2 Portionen

ZUTATEN:

- Knäckebrot, bereits fertig

ZUBEREITUNG:

1. Nimm für den heutigen Snack die Hälfte von dem Knäckebrot aus der Dose.

Hinweis:

Dauer: Bereits zubereitet
Punkte (pro Portion): 2
Nährwerte (pro Portion): 408 kcal, 21 g KH, 18 g EW, 26 g FE

TAG 3

Frühstück:	Quarkbällchen
Mittagessen:	Hähnchen-Gyros mit Gemüse
Abendessen:	Süßkartoffel-Zitronengras-Suppe
Snack:	Mozzarella-Pesto-Spieße

Frühstück

QUARKBÄLLCHEN

4 Portionen

ZUTATEN:

- 170 g gemahlene Mandeln
- 30 g Leinsamenmehl
- 2 Eier
- 1 kleiner Becher Quark
- 4 TL Kokosblütenzucker
- 2 TL gemahlene Vanille
- 2 TL Zimtpulver

Sonstiges

- 1 l Rapsöl

ZUBEREITUNG:

1. Gib zunächst den Quark, die Eier, den Kokosblütenzucker, die Vanille und den Zimt in den Mixtopf und vermenge alles 1 Minute lang auf Stufe 4.
2. Dann gibst du die gemahlenen Mandeln und das Leinsamenmehl hinzu und lässt den Teig 4 Minuten lang in der Knetstufe durchkneten.
3. Fülle das Öl in einen Topf und erhitze es auf 170 °C.
4. Danach füllst du den Teig in einen Gefrierbeutel und schneidest eine 2 cm große Ecke heraus.
5. Stelle nun ein breites Messer schräg in den Topf hinein und drücke ein 3 cm langes Stück Teig auf das Messer, so dass das Teigstück langsam in das heiße Öl gleiten kann.
6. Fahre solange fort, bis etwa 7–10 Bällchen im Topf sind. Die genaue Anzahl ist abhängig von deiner Topfgröße. Die Bällchen sollten nicht aneinander drücken.
7. Wende die Bällchen mit einer Gabel bis sie goldbraun sind. Die Frittierzeit beträgt 5 Minuten.
8. Nach dem Frittieren legst du die Bällchen nebeneinander auf einen Teller mit Küchenpapier.
9. Lasse die Bällchen abkühlen, bevor du sie servierst.

Hinweis:

Dauer: 30 min
Punkte (pro Portion): 12
Nährwerte (pro Portion): 411 kcal, 10 g KH, 20 g EW, 31 g FE

Mittagessen

HÄHNCHEN-GYROS MIT GEMÜSE

2 Portionen

ZUTATEN:

- ½ Zucchini
- ½ Lauch
- 2 kleine Karotten
- 250 g Champignons
- 250 g Hähnchenfleisch, geschnetzelt (Gyros-Art)
- ½ TL Salz
- 1 Prise Pfeffer
- 1 Prise Muskat
- 20 g Butter

ZUBEREITUNG:

1. Schäle die Karotten und gib diese in groben Stücken 4 Sekunden lang auf Stufe 5 in den Mixtopf.
2. Anschließend schneidest du den Lauch in Ringe und gibst beides zusammen mit dem Hähnchenfleisch in eine Pfanne.
3. Füge das Olivenöl und die Gewürze hinzu und brate alles scharf in einer Pfanne an, bis das Hähnchenfleisch durch ist.
4. Währenddessen gibst du die Zucchini in groben Stücken zusammen mit den Champignons 4 Sekunden lang auf Stufe 5 in den Mixtopf.
5. Gib nun auch die Zucchini und die Champignons mit in die Pfanne, vermenge alles und brate es zusammen für weitere 2 Minuten an.
6. Du kannst nun nochmal alles mit den Gewürzen abschmecken, bevor du es auf zwei Tellern servierst.

Hinweis:

Dauer: 20 min
Punkte (pro Portion): 7
Nährwerte (pro Portion): 252 kcal, 6 g KH, 33 g EW, 10 g FE

Abendessen

SÜSSKARTOFFEL-ZITRONENGRAS-SUPPE

4 Portionen

ZUTATEN:

- 2 Zwiebeln
- 1 Stück Ingwer (3 cm)
- 1 Stängel Zitronengras
- 2 EL Olivenöl
- 650 g Süßkartoffeln
- 1 TL Gewürzpaste
- 400 ml Kokosmilch, fettreduziert
- 500 ml Wasser
- 1 EL Zitronensaft
- Salz und Cayennepfeffer zum Abschmecken

ZUBEREITUNG:

1. Schäle zunächst die Zwiebel und den Ingwer. Danach entfernst du die äußeren Blätter vom Zitronengras und lässt alles in das laufende Messer im Mixtopf fallen. Lasse den Mixtopf 6 Sekunden lang auf Stufe 5 laufen.
2. Füge das Olivenöl hinzu und dünste das Gemüse 3 Minuten lang bei 120 °C auf Stufe 2 an.
3. Nun schälst du die Süßkartoffeln und gibst sie, in groben Stücken, für 5 Sekunden auf Stufe 5 in den Mixtopf.
4. Füge das Wasser und die Gewürzpaste hinzu und lass die Suppe 15 Minuten lang bei 100 °C auf Stufe 2 garen.
5. Nun pürierst du die Suppe 45 Sekunden, schrittweise ansteigend von Stufe 5 bis Stufe 9.
6. Füge nun die Kokosmilch hinzu und püriere die Suppe 20 Sekunden lang auf Stufe 9.
7. Abschließend schmeckst du sie mit dem Zitronensaft, dem Salz und dem Pfeffer ab.
8. Teile die Suppe in 2 Teile. Die eine Hälfte frierst du ein und die 2. Hälfte ist für das heutige Abendessen.

Hinweis:

Dauer: 30 min
Punkte (pro Portion): 15
Nährwerte (pro Portion): 484 kcal, 44 g KH, 4 g EW, 31 g FE

Snack

MOZZARELLA-PESTO-SPIESSE

2 Portionen

ZUTATEN:

- 60 g Parmesan
- 30 g Pinienkerne
- 2 Knoblauchzehen
- 1 Packung italienische TK-Kräuter
- 80 ml Olivenöl
- 1 Packung Mozzarella light, in kleinen Kugeln
- 1 Bund Basilikum

ZUBEREITUNG:

1. Schäle zunächst den Knoblauch und schneide den Parmesan in grobe Stücke.
2. Nun gibst du beides, zusammen mit den Pinienkernen und den italienischen Kräutern, für 7 Sekunden auf Stufe 8 in den Mixtopf.
3. Füge das Olivenöl hinzu und lass alles 30 Sekunden lang auf Stufe 5 zu einem cremigen Pesto verrühren, welches du in eine größere Schale umfüllst.
4. Gib die Mozzarellakugeln zum Pesto hinzu, vermenge alles von Hand und stell die Schale 2 Stunden im Kühlschrank kalt, um das Pesto durchziehen zu lassen.
5. Zum Schluss kannst du die Blätter vom Basilikum abzupfen und diese abwechselnd mit den Mozzarellakugeln auf Spieße stecken.

Hinweis:

Dauer: 2 h 15 min (Zubereitungszeit 15 min + 2 h kaltstellen im Kühlschrank)
Punkte (pro Portion): 13
Nährwerte (pro Portion): 640 kcal, 6 g KH, 29 g EW, 53 g FE

TAG 4

Frühstück:	Haferflocken-Birnen-Joghurt
Mittagessen:	Ungarisches Gulasch
Abendessen:	Reste-Ofengemüse mit Thunfisch-Oliven-Dip
Snack:	Erdbeer-Bananen-Eis

Frühstück

HAFERFLOCKEN-BIRNEN-JOGHURT

2 Portionen

ZUTATEN:

- 2 Birnen
- 2 TL Zimt
- 100 ml Wasser
- 1 EL Zitronensaft
- 500 g Naturjoghurt, fettarm
- 60 g Haferflocken
- 20 g Mandeln

ZUBEREITUNG:

1. Entkerne die Birnen und gib sie, in groben Stücken, zusammen mit dem Wasser und dem Zimt in den Mixtopf und gare sie 12 Minuten lang im Linkslauf auf Stufe 1 bei 80 °C.
2. Dann gibst du den Zitronensaft hinzu.
3. Den Joghurt gibst du, zusammen mit den Haferflocken und den Mandeln, in eine Schale. Vermenge alles mit einem Löffel und lass die Haferflocken 10 Minuten lang durchziehen.
4. Anschließend verteilst du die Joghurt-Haferflocken-Masse auf 2 Schälchen und gibst die leicht warme Birnenmasse darüber.

Hinweis:

Dauer: 15 min
Punkte (pro Portion): 5
Nährwerte (pro Portion): 346 kcal, 49 g KH, 16 g EW, 8 g FE

Mittagessen

UNGARISCHES GULASCH

2 Portionen

ZUTATEN:

- 300 g Rindergulasch
- 1 große Zwiebel
- 2 Knoblauchzehen
- 2 Paprika
- 100 g Champignons
- 400 g passierte Tomaten
- 60 g Tomatenmark
- 50 ml Gemüsebrühe
- 1 EL Zitronensaft
- 4 TL Paprikapulver
- 1 TL Kümmel

ZUBEREITUNG:

1. Schneide zunächst das Fett vom Rindergulasch ab. Dann gibst du das Rindergulasch, zusammen mit etwas Wasser, in die Pfanne und brätst es scharf an. Brate es solange an, bis der ausgetretene Saft verdunstet ist.
2. Zwischenzeitlich kannst du das Gemüse im Thermomix zubereiten.
3. Hierfür schälst du die Zwiebel und den Knoblauch und gibst beides 5 Sekunden lang auf Stufe 5 in den Mixtopf.
4. Füge die passierten Tomaten, das Tomatenmark und die Gewürze für 3 Sekunden auf Stufe 10 hinzu.
5. Gib nun das fertige Fleisch, den restlichen Bratensaft und die Gemüsebrühe mit in den Mixtopf, um das Gulasch 45 Minuten lang im Varoma im Linkslauf zu garen.
6. Entkerne in der Zwischenzeit die Paprika und schneide sie, zusammen mit den Champignons, in Würfel.
7. Nach den 45 Minuten Garzeit gibst du die Paprika und die Champignons zum Gulasch hinzu und lässt alles zusammen erneut für 13 Minuten im Varoma im Linkslauf garen.

Hinweis:

Dauer: 1 h 15 min (Zubereitungszeit 20 min)
Punkte (pro Portion): 4
Nährwerte (pro Portion): 399 kcal, 36 g KH, 41 g EW, 9 g FE

Abendessen

RESTE-OFENGEMÜSE MIT THUNFISCH-OLIVEN-DIP

2 Portionen

ZUTATEN:

Dip

- 2 Zwiebeln
- 2 Bund Petersilie
- 2 Knoblauchzehen
- 1 Dose Thunfisch
- 250 g Frischkäse
- 10 schwarze Oliven
- Salz und frisch gemahlener Pfeffer

Gemüse

- 150 g Champignons
- ½ Hokkaido
- 1 Zucchini
- 1 TL Paprikapulver
- 1 TL Salz
- 1 EL Olivenöl

ZUBEREITUNG:

1. Bereite zunächst das Ofengemüse zu. Hierfür legst du ein Backblech mit Backpapier aus.
2. Schneide die Champignons und die Zucchini in Scheiben und würfle den Kürbis. Gib das Gemüse nun mit dem Olivenöl, dem Salz und dem Paprikapulver in eine Schüssel und vermenge alles miteinander.
3. Nun verteilst du das Gemüse auf dem Backblech und gibst es für 25 Minuten bei 180 °C Ober-/Unterhitze in den Backofen.
4. Zwischenzeitlich kannst du den Dip zubereiten.
5. Hierfür schälst und halbierst du zunächst die Zwiebeln und den Knoblauch und gibst beides, zusammen mit der Petersilie, 3 Sekunden lang auf Stufe 7 in den Thermomix.
6. Schiebe danach alles mit dem Spatel wieder nach unten, gib die restlichen Zutaten für den Dip hinzu und vermische den Dip 15 Sekunden lang auf Stufe 5.
7. Wenn das Ofengemüse fertig ist, kannst du es zusammen mit dem Dip servieren.

Hinweis:

Dauer: 40 min
Punkte (pro Portion): 5
Nährwerte (pro Portion): 399 kcal, 36 g KH, 41 g EW, 9 g FE

Snack

ERDBEER-BANANENEIS

2 Portionen

ZUTATEN:

- 50 g Xylit
- 300 g gefrorene Erdbeeren
- 1 zerkleinerte gefrorene Banane

ZUBEREITUNG:

1. Gib den Xylit 5 Sekunden lang auf Stufe 10 in den Mixtopf.
2. Anschließend fügst du das gefrorene Obst für 25 Sekunden auf Stufe 10 hinzu und servierst das Eis direkt in 2 Schälchen, bevor es schmilzt.

Hinweis:

Dauer: 5 min
Punkte (pro Portion): 2
Nährwerte (pro Portion): 136 kcal, 30 g KH, 2 g EW, 1 g FE

TAG 5

Frühstück:	Eiweißbrot ohne Nüsse mit Reste-Aufschnitt
Mittagessen:	Puten-Chili
Abendessen:	Rosenkohl-Omelett
Snack:	Low-Carb-Raffaello

Frühstück

EIWEISSBROT OHNE NÜSSE MIT RESTE-AUFSCHNITT

2 Portionen

ZUTATEN:

Eiweißbrot

- Brot aufbacken

Aufschnitt

- Frischkäse
- ½ Gurke
- 2 Tomaten
- Salz und Pfeffer zum Würzen

ZUBEREITUNG:

1. Nimm bereits am Vorabend die Hälfte von dem eingefrorenen Brot aus der Tiefkühltruhe und backe es vor dem Essen auf. Warm schmeckt es auch sehr gut.
2. Währenddessen kannst du die Gurke und die Tomaten in Scheiben schneiden und diese noch mit etwas Salz und Pfeffer würzen.
3. Bestreiche die Brotscheiben mit dem Frischkäse und verteile die Gurken- und Tomatenscheiben darüber.

Hinweis:

Dauer: 10 min (Brot bereits zubereitet und eingefroren)
Punkte (pro Portion): 9
Nährwerte (pro Portion): 534 kcal, 40 g KH, 29 g EW, 28 g FE

Mittagessen

PUTEN-CHILI

2 Portionen

ZUTATEN:

- 200 g Putenfilet
- 1 kleine Zwiebel
- 1 Knoblauchzehe
- 2 Paprika
- 1 Zucchini
- 1 kleine Chilischote
- 250 g Dosentomaten
- 1 EL Olivenöl
- 1 TL Paprikapulver
- 1 TL Currypulver
- Salz und Pfeffer zum Abschmecken

ZUBEREITUNG:

1. Schneide zunächst das Putenfilet in Würfel und brate diese mit der Hälfte des Olivenöls in einer Pfanne an. Würze es mit dem Currypulver, dem Salz und dem Pfeffer.
2. Anschließend schälst du die Zwiebel und den Knoblauch und gibst beides 3 Sekunden lang auf Stufe 5 in den Mixtopf.
3. Nun gibst du das restliche Olivenöl mit in den Mixtopf und dünstest die Zwiebel und den Knoblauch 3 Minuten lang im Varoma auf Stufe 3 an.
4. Danach entkernst du die Paprika und gibst diese, zusammen mit der Zucchini und der Chilischote, in groben Stücken für 4 Sekunden auf Stufe 4 in den Mixtopf.
5. Füge die Dosentomaten und die Gewürze hinzu und lass das Chili 10 Minuten lang bei 100 °C im Linkslauf auf Stufe 1 leicht köcheln.
6. Abschließend gibst du die Putenwürfel aus der Pfanne mit in den Mixtopf und vermengst alles 10 Sekunden lang im Linkslauf auf Stufe 3. Du kannst das Chili vor dem Servieren noch einmal mit den Gewürzen abschmecken.

Hinweis:

Dauer: 25 min
Punkte (pro Portion): 2
Nährwerte (pro Portion): 323 kcal, 24 g KH, 33 g EW, 10 g FE

Abendessen

ROSENKOHL-OMELETT

2 Portionen

ZUTATEN:

- 100 g Rosenkohl
- 1 l Wasser
- 30 g Gouda
- 2 Stängel Petersilie, frisch
- 4 Eier
- 1 Prise Muskat, frisch gerieben
- Salz und Pfeffer zum Abschmecken

ZUBEREITUNG:

1. Entferne die äußeren Blätter vom Rosenkohl. Würze ihn danach mit 1 TL Salz und verteile ihn ihm Garkörbchen.
2. Nun gibst du 500 ml Wasser in den Mixtopf, hängst das Garkörbchen ein und garst den Rosenkohl 15 Minuten lang bei 100 °C auf Stufe 2.
3. Leere dann den Mixtopf und gib den Gouda für 10 Sekunden auf Stufe 10 in den Mixtopf.
4. Danach gibst du die Petersilie, ohne Stiele, für 5 Sekunden auf Stufe 7 in den Mixtopf zum Gouda hinzu.
5. Füge die Eier, den Muskat, etwas Salz und Pfeffer hinzu und verquirle alles 5 Sekunden lang auf Stufe 4.
6. Schneide nun ein Backpapier so zurecht, dass es in den Varoma passt. Achte dabei darauf, dass es die Seitenschlitze nicht verdeckt.
7. Feuchte das Backpapier mit etwas Wasser an und lege es in den Varoma.
8. Nun gibst du erneut 500 ml Wasser in den Mixtopf und setzt den Varoma auf. Den zuvor gegarten Rosenkohl verteilst du auf dem Backpapier im Varoma.
9. Gib nun die Eiermasse über den Rosenkohl und lass das Omelett 15 Minuten lang im Varoma auf Stufe 1 garen.

Hinweis:

Dauer: 1 h (Zubereitungszeit 30 min)
Punkte (pro Portion): 2
Nährwerte (pro Portion): 294 kcal, 14 g KH, 22 g EW, 16 g FE

Snack

LOW-CARB-RAFFAELLO

16 Portionen

ZUTATEN:

Raffaello-Masse

- 50 g gemahlene Mandeln
- 250 g Magerquark
- 20 g Kokosflocken
- 25 g Eiweißpulver
- 1 Spritzer Süßstoff

Deko

- 16 ganze Mandeln
- Kokosflocken zum Wälzen

ZUBEREITUNG:

1. Gib alle Zutaten, bis auf die Zutaten für die Deko, in den Mixtopf und vermische sie 10 Sekunden lang auf Stufe 10.
2. Danach knetest du den Teig per Hand noch einmal durch, bis er eine gleichmäßige Masse ergibt, und formst 16 etwa gleichgroße Kugeln daraus.
3. Stecke in die Mitte jeweils eine ganze Mandel und wälze die Kugel abschließend in den Kokosflocken.
4. Stell die Kugeln für etwa vier Stunden im Kühlschrank kalt.
5. Für den heutigen Snack nimmst du 8 Kugeln und die übrigen 8 lässt du in einem Schälchen im Kühlschrank stehen.

Hinweis:

Dauer: 30 min
Punkte (pro Portion): 1
Nährwerte (pro Portion): 52 kcal, 1 g KH, 4 g EW, 3 g FE

TAG 6

Frühstück: Zucchinipuffer
Mittagessen: Ei im Spinatnest
Abendessen: Blumenkohlpizza
Snack: Erbsenmuffins

Frühstück

ZUCCHINIPUFFER

2 Portionen

ZUTATEN:

- 100 g Mandelmehl
- 1 TL Backpulver
- 3 Eier
- 75 ml Milch, fettarm
- 1 kleine Zucchini
- 1 kleine Paprika
- 1 EL gehackter Thymian
- Salz und Pfeffer zum Abschmecken
- Olivenöl zum Anbraten

ZUBEREITUNG:

1. Entkerne die Paprika und gib diese, zusammen mit der Zucchini, in groben Stücken für 15 Sekunden auf Stufe 3 in den Mixtopf.
2. Dann gibst du alle weiteren Zutaten, bis auf das Olivenöl, mit in den Mixtopf und vermengst den Teig 25 Sekunden lang im Linkslauf auf Stufe 3.
3. Erhitze nun das Olivenöl in einer Pfanne und brate den Teig als Puffer darin aus. Wende die Puffer zwischendrin, bis sie die gewünschte Bräune haben.

Hinweis:

Dauer: 20 min
Punkte (pro Portion): 7
Nährwerte (pro Portion): 352 kcal, 15 g KH, 37 g EW, 15 g FE

Mittagessen

EI IM SPINATNEST

2 Portionen

ZUTATEN:

- 50 g Gouda
- 40 g Butter
- 300 g Blattspinat
- 700 ml Wasser
- 4 Eier
- Salz und Pfeffer zum Abschmecken

ZUBEREITUNG:

1. Gib zunächst den Gouda für 4 Sekunden auf Stufe 5 in den Mixtopf und fülle den Käse anschließend für später in ein Schälchen.
2. Dann gibst du 30 g von der Butter, den Spinat und 1 Prise Salz für 10 Minuten im Linkslauf bei 100 °C auf Stufe 1 in den Mixtopf, um den Spinat zu dünsten. Den Messbecher setzt du dazu schräg ein. Fülle anschließend auch den Spinat für später in ein Schälchen.
3. Nun füllst du das Wasser in den Mixtopf und erwärmst es 6 Minuten lang bei 100 °C auf Stufe 1.
4. Zwischenzeitlich nimmst du vier Alu-Souffléförmchen und fettest diese mit Butter ein. Fülle den Spinat hinein und verteile den zerkleinerten Käse darauf.
5. Schlage nun in jedes Schälchen ein Ei auf und würze dieses mit Salz und Pfeffer. Die zubereiteten Förmchen stellst du nun nebeneinander in den Varoma.
6. Setze den Varoma auf und gare die Spinatnester 8 Minuten lang auf Stufe 1 im Varoma.

Hinweis:

Dauer: 35 min
Punkte (pro Portion): 9
Nährwerte (pro Portion): 388 kcal, 2 g KH, 16 g EW, 34 g FE

Abendessen

BLUMENKOHLPIZZA

2 Portionen

ZUTATEN:

Pizzateig

- 200 g Blumenkohl
- 100 g Gouda
- 1 Ei
- 1 TL gekörnte Gemüsebrühe
- 1 TL Pizzagewürz
- Salz und Pfeffer zum Abschmecken

Belag

- 200 ml passierte Tomaten
- 500 ml Wasser
- 250 g Champignons
- 100 g Schinkenscheiben
- 1 Mozzarella light

ZUBEREITUNG:

1. Gib zunächst den Käse 10 Sekunden lang auf Stufe 8 in den Mixtopf und fülle ihn für später in ein Schälchen um.
2. Danach gibst du den Blumenkohl in groben Stücken für 6 Sekunden auf Stufe 6 in den Mixtopf.
3. Fülle nun den Blumenkohl in den Varoma um, fülle 500 ml Wasser in den Mixtopf und setze den Varoma auf. Danach lässt du den Blumenkohl 20 Minuten lang im Varoma auf Stufe 1 garen.
4. Leere den Mixtopf und gib den gegarten Blumenkohl zusammen mit dem Käse, dem Ei, dem Salz, dem Pfeffer, der Gemüsebrühe und dem Pizzagewürz hinzu und verrühre alles 10 Sekunden lang auf Stufe 4.
5. Lege nun ein Backblech mit Backpapier aus und verteile den Blumenkohlteig darauf. Gib das Backblech nun zunächst 15 Minuten lang bei 230 °C Ober-/ Unterhitze in den Backofen.
6. Zwischenzeitlich kannst du den Belag zubereiten. Schneide hierfür die Champignons und den Mozzarella in Scheiben.
7. Nimm das Backblech zum Belegen wieder aus dem Ofen. Bestreiche den Teig mit den passierten Tomaten und würze die Soße mit etwas Salz und Pfeffer.
8. Belege die Pizza mit dem Schinken, den Champignons und abschließend mit dem Mozzarella.
9. Gib den Teig nun für 15 Minuten bei 230 °C Ober-/Unterhitze in den Backofen. Je nach Pizzadicke kann die Pizza schon schneller fertig sein. Wenn die Pizza vor Ablauf der Zeit gebräunt ist, kannst du sie bereits früher aus dem Backofen nehmen und auf 2 Tellern servieren.

Hinweis:

Dauer: 1 h 15 min (Zubereitungszeit 20 min)
Punkte (pro Portion): 8
Nährwerte (pro Portion): 445 kcal, 9 g KH, 46 g EW, 23 g FE

Snack

ERBSENMUFFINS

2 Portionen

ZUTATEN:

- Erbsenmuffins, bereits fertig

ZUBEREITUNG:

1. Nimm für den heutigen Snack die Muffins bereits am Vorabend aus der Tiefkühltruhe.
2. Vor dem Verzehr kannst du sie dann noch einmal bei 180 °C Ober-/Unterhitze im Backofen aufbacken. (Wenn du die Muffins mit zur Arbeit nehmen möchtest, kannst du sie morgens, während du frühstückst, einmal kurz aufbacken).

Hinweis:

Dauer: 5 min (Muffins bereits zubereitet und eingefroren)
Punkte (pro Portion): 1
Nährwerte (pro Portion): 96 kcal, 4 g KH, 7 g EW, 6 g FE

TAG 7

Frühstück:	Quarkbrötchen mit Reste-Aufschnitt
Mittagessen:	Bananen-Avocado-Milchshake
Abendessen:	Peking-Suppe
Snack:	Apfel-Quarkmuffins mit Zimt

Frühstück

QUARKBRÖTCHEN MIT RESTE-AUFSCHNITT

4 Portionen

ZUTATEN:

Brötchenteig

- 3 Eier
- 250 g Quark
- 100 g Mandeln
- 30 g Chiasamen
- 20 g Flohsamenschalen
- 10 g Kokosmehl
- 1 TL Salz
- 50 g Sonnenblumenkerne
- 1 Pck. Backpulver

Aufschnitt

- Reste von Woche 2 / Tag 5 aufbrauchen

ZUBEREITUNG:

1. Gib zunächst die Mandeln für 10 Sekunden auf Stufe 10 in den Mixtopf, um sie zu mahlen. Fülle sie anschließend für später in ein Schälchen um.
2. Nun gibst du die Eier, den Quark und das Salz für 8 Sekunden auf Stufe 4 in den Mixtopf.
3. Jetzt fügst du die restlichen Zutaten für den Teig in den Mixtopf und vermengst den Teig 10 Sekunden lang auf Stufe 4. Decke ihn ab und lass ihn an einem warmen Ort für 20 Minuten quellen.
4. Zwischenzeitlich kannst du den Backofen bereits auf 180 °C Ober-/Unterhitze vorheizen.
5. Forme aus dem fertigen Teig 4 gleichgroße Brötchen und lege diese auf ein Backblech, welches du zuvor mit Backpapier ausgelegt hast.
6. Gib das Backblech mit den Brötchen für 25 Minuten in den vorgeheizten Backofen.
7. Wenn die Brötchen fertig sind, lass sie kurz etwas abkühlen und belege sie mit dem restlichen Aufschnitt aus Woche 2 / Tag 5.

Hinweis:

Dauer: 1 h (Zubereitungszeit 15 min)
Punkte (pro Portion): 9
Nährwerte (pro Portion): 394 kcal, 9 g KH, 20 g EW, 30 g FE

Mittagessen

BANANEN-AVOCADO-MILCHSHAKE

2 Portionen

ZUTATEN:

- 1 Avocado
- 2 Bananen
- 500 ml Milch, fettarm

ZUBEREITUNG:

1. Schäle zunächst die Bananen und die Avocado und entferne den Kern der Avocado.
2. Dann gibst du sie in groben Stücken zusammen mit der Milch für 1 Minute auf Stufe 10 in den Mixtopf.
3. Verteile den Shake auf 2 Gläser und genieße ihn frisch.

Hinweis:

Dauer: 5 min
Punkte (pro Portion): 9
Nährwerte (pro Portion): 204 kcal, 10 g KH, 2 g EW, 17 g FE

Abendessen

PEKING-SUPPE

2 Portionen

ZUTATEN:

- 100 g Hähnchenbrustfilet
- 150 g TK-Chinagemüse
- 1 Ei
- 500 ml Hühnerbrühe
- 1 EL Olivenöl
- 1 EL Sojasoße
- ½ EL Essig
- ½ EL Speisestärke
- 20 ml Wasser
- Salz und Pfeffer zum Abschmecken

ZUBEREITUNG:

1. Schneide zunächst das Hähnchenbrustfilet in kleine Streifen und verteile diese im Varoma.
2. Füge das Olivenöl hinzu und dünste das Fleisch 3 Minuten lang auf Stufe 1 im Varoma an.
3. Nun gibst du die Hühnerbrühe, die Sojasoße, den Essig, das Salz und den Pfeffer zum Fleisch hinzu und lässt alles 15 Minuten lang auf Stufe 1 im Varoma garen.
4. 1 Minute vor Ende der Garzeit rührst du die Speisestärke mit dem Wasser zusammen und gibst die Flüssigkeit zur Suppe hinzu.
5. Verquirle das Ei und gib dieses abschließend über das laufende Messer zur Suppe hinzu.

Hinweis:

Dauer: 30 min
Punkte (pro Portion): 2
Nährwerte (pro Portion): 180 kcal, 5 g KH, 15 g EW, 11 g FE

Snack

APFEL-QUARKMUFFINS MIT ZIMT

2 Portionen

ZUTATEN:

- 1 Ei
- 1 Apfel
- 100 g Magerquark
- 50 g Mandelmehl
- 50 g Eiweißpulver
- 50 ml Milch
- ½ TL Backpulver
- 1 TL Zimt

ZUBEREITUNG:

1. Heize zunächst den Backofen auf 180 °C Ober-/Unterhitze vor.
2. Anschließend entkernst du den Apfel und schneidest ihn in kleine, feine Stücke.
3. Gib nun alle Zutaten, bis auf die Apfelstücke, für 2,5 Minuten im Knetmodus in den Mixtopf.
4. Nach 2 Minuten gibst du für die restlichen 30 Sekunden die Apfelstücke durch das Mixtopfloch mit zum Teig hinzu.
5. Fülle den fertigen Teig in Muffinförmchen, stelle die Muffins auf ein Backblech und gib dieses 20 Minuten lang in den vorgeheizten Backofen.

Hinweis:

Dauer: 30 min
Punkte (pro Portion): 4
Nährwerte (pro Portion): 291 kcal, 12 g KH, 44 g EW, 6 g FE

Ernährungsplan – Woche 3

TAG 1

Frühstück:	Kokos-Chia-Pudding mit Mango
Mittagessen:	Zwiebelkuchen
Abendessen:	Garnelen mit Gemüse
Snack:	Quark-Mousse au Chocolat

Frühstück

KOKOS-CHIA-PUDDING MIT MANGO

2 Portionen

ZUTATEN:

- 45 g Chiasamen
- 200 ml Kokosmilch
- 130 ml Milch
- 2 Mangos

ZUBEREITUNG:

1. Bereite den Pudding bereits am Vorabend zu. Schäle und entkerne dafür zunächst eine der zwei Mangos und gib diese in groben Stücken in den Mixtopf.
2. Nun fügst du die Chiasamen, die Kokosmilch und die Milch hinzu und vermengst alles 30 Sekunden lang auf Stufe 4 miteinander.
3. Fülle den Pudding in 2 Schälchen um und stell diese über Nacht in den Kühlschrank, damit die Chiasamen quellen können.
4. Am nächsten Tag nimmst du die Schälchen aus dem Kühlschrank.
5. Schäle, entkerne und viertel abschließend die zweite Mango und verteile die Mangowürfel auf die zwei Schälchen.

Hinweis:

Dauer: 10 min (mind. 4 h kaltstellen)
Punkte (pro Portion): 16
Nährwerte (pro Portion): 451 kcal, 30 g KH, 8 g EW, 32 g FE

Mittagessen

ZWIEBELKUCHEN

2 Portionen

ZUTATEN:

- 100 g Gouda light
- 4 Zwiebeln
- 1 Knoblauchzehe, optional
- 1 EL Butter oder Öl
- 400 g körniger Frischkäse
- 4 Eier
- 2 EL beliebige TK-Kräuter
- Salz und Pfeffer zum Abschmecken
- Oregano zu Bestreuen

ZUBEREITUNG:

1. Gib den Käse zunächst 10 Sekunden lang auf Stufe 8 in den Mixtopf und fülle ihn danach für später in ein Schälchen um.
2. Nun schälst und halbierst du die Zwiebeln und gibst diese 4 Sekunden lang auf Stufe 5 in den Mixtopf.
3. Füge die Butter hinzu und dünste die Zwiebelstücke 4 Minuten lang auf Stufe 1 im Varoma an.
4. Zwiebeln (und, wer mag, Knoblauch) in Stücken in den Mixtopf geben und 4 Sekunden auf Stufe 5 garen, nach unten schieben und etwas Butter oder Öl dazugeben, dann 4 Minuten mit Varoma auf Stufe 1 andünsten.
5. Körnigen Frischkäse, Eier, Salz, Pfeffer, Kräuter und gut die Hälfte des geriebenen Käses dazu geben. 10 Sekunden im Linkslauf auf Stufe 3 vermischen.
6. Masse in eine oder zwei Auflaufformen verteilen und mit dem restlichen geriebenen Käse bestreuen.
7. Anschließend, je nach Ofen, Auflaufform ca. 40 Minuten bei 180 °C im Backofen backen und anschließend mit Oregano bestreuen.

Hinweis:

Dauer: 1 h (Zubereitungszeit 20 min)
Punkte (pro Portion): 13
Nährwerte (pro Portion): 694 kcal, 30 g KH, 54 g EW, 38 g FE

Abendessen

GARNELEN MIT GEMÜSE

2 Portionen

ZUTATEN:

- 2 Zwiebeln
- 1 EL Öl
- 16 Garnelen
- 2 Tomaten
- 1 Zucchini
- 50 g Frischkäse
- 1 TL Currypulver
- 2 EL Soßenbinder
- 2 EL italienische TK-Kräuter
- Salz und Pfeffer zum Abschmecken

ZUBEREITUNG:

1. Schäle und halbiere die Zwiebeln und gib sie 4 Sekunden lang auf Stufe 5 in den Mixtopf.
2. Danach gibst du das Olivenöl hinzu und dünstest die Zwiebeln 3 Minuten lang auf Stufe 1 bei 100 °C an.
3. Zwischenzeitlich würfelst du die Tomaten und die Zucchini.
4. Gib danach die Garnelen und das Gemüse mit in den Mixtopf, würze alles mit dem Currypulver, dem Salz und dem Pfeffer und gare es 10 Minuten lang bei 98 °C im Linkslauf im Varoma.
5. Anschließend gibst du den Frischkäse, die TK-Kräuter und den Soßenbinder hinzu und erwärmst alles für weitere 5 Minuten im Linkslauf bei 98 °C.
6. Schmecke anschließend alles noch mit den Gewürzen ab und serviere es auf 2 Tellern.

Hinweis:

Dauer: 30 min
Punkte (pro Portion): 5
Nährwerte (pro Portion): 414 kcal, 31 g KH, 30 g EW, 18 g FE

Snack

QUARK-MOUSSE AU CHOCOLAT

2 Portionen

ZUTATEN:

- 50 g dunkle Schokolade, mindestens 70 %
- 200 ml Milch, 1,5 %
- 250 g Magerquark

ZUBEREITUNG:

1. Gib zunächst die Schokolade 5 Sekunden lang auf Stufe 6 in den Mixtopf.
2. Dann gibst du die Milch hinzu und lässt die Schokolade 3 Minuten lang bei
3. 50 °C auf Stufe 2 darin schmelzen.
4. Füge danach den Quark hinzu und vermenge die Mousse au Chocolat 20 Sekunden lang auf Stufe 6.
5. Fülle sie anschließend in 2 Schälchen und stelle diese für mindestens 1 Stunde im Kühlschrank kalt.

Hinweis:

Dauer: 1 h 10 min (Zubereitungszeit 10 min, 1 h kaltstellen)
Punkte (pro Portion): 11
Nährwerte (pro Portion): 268 kcal, 23 g KH, 20 g EW, 10 g FE

TAG 2

Frühstück:	Himbeer-Milchshake
Mittagessen:	Spargelauflauf mit Senfkruste
Abendessen:	Blumenkohlsuppe mit Krabben
Snack:	Haselnuss-Kekse

Frühstück

HIMBEER-MILCHSHAKE

2 Portionen

ZUTATEN:

- 250 g Himbeeren
- 550 ml Milch
- 2 TL Honig
- 100 ml Sahne

ZUBEREITUNG:

1. Gib alle Zutaten für 10 Sekunden auf Stufe 8 in den Mixtopf.
2. Anschließend verteilst du den Shake auf 2 Gläser und genießt ihn direkt. Frisch schmeckt er am besten.

Hinweis:

Dauer: 5 min
Punkte (pro Portion): 7
Nährwerte (pro Portion): 399 kcal, 23 g KH, 9 g EW, 28 g FE

Mittagessen

SPARGELAUFLAUF MIT SENFKRUSTE

2 Portionen

ZUTATEN:

- 500 ml Wasser
- 300 g Spargel
- 3 Eier
- 75 g Käse
- 2 EL Senf
- 50 g Frischkäse
- 100 g gekochter Schinken
- ½ TL Thymian
- Salz und Pfeffer zum Abschmecken

ZUBEREITUNG:

1. Koche zunächst die Eier und schrecke sie anschließend mit kaltem Wasser ab.
2. Lass sie erkalten und schneide sie anschließend in Scheiben.
3. Während die Eier kalt werden, kannst du bereits den Spargel schälen und in 3 cm lange Stücke schneiden, welche du im Varoma verteilst.
4. Fülle danach das Wasser und 1 TL Salz in den Mixtopf.
5. Setze den Varoma mit dem Spargel auf und gare den Spargel 20 Minuten lang auf Stufe 1.
6. Zwischenzeitlich würfelst du den Schinken.
7. Wenn der Spargel gar ist, schüttest du das Wasser wieder aus dem Mixtopf.
8. Gib nun den Käse in groben Stücken in den Mixtopf und zerkleinere ihn 4 Sekunden lang auf Stufe 7.
9. Du kannst nun bereits den Backofen auf 200 °C Ober-/Unterhitze vorheizen.
10. Dann gibst du den Frischkäse, den Senf, den Thymian und etwas Salz und Pfeffer zum Käse hinzu und vermengst alles 20 Sekunden lang im Linkslauf auf Stufe 4.
11. Nun nimmst du dir eine ausreichend große Auflaufform, gibst die gegarten Spargelstücke, die Eierscheiben und den gewürfelten Schinken hinein, vermengst alles miteinander und gibst die Käse-Senf-Soße darüber.
12. Abschließend gibst du den Auflauf für 25 Minuten in den vorgeheizten Backofen.

Hinweis:

Dauer: 1 h (Zubereitungszeit 30 min)
Punkte (pro Portion): 5
Nährwerte (pro Portion): 361 kcal, 7 g KH, 31 g EW, 22 g FE

Abendessen

BLUMENKOHLSUPPE MIT KRABBEN

4 Portionen

ZUTATEN:

Suppe:

- 1 Blumenkohl
- 3 kleine Karotten
- 1 Zwiebel
- 1 Knoblauchzehe
- 80 g Frischkäse
- 6 TL Olivenöl
- 1 TL Paprikapulver
- 750 ml Gemüsebrühe
- Salz und Pfeffer zum Abschmecken

Beilage:

- 100 g Krabben
- 2 EL Olivenöl

ZUBEREITUNG:

1. Schäle und halbiere zunächst die Zwiebel und den Knoblauch. Gib beides 5 Sekunden lang auf Stufe 8 in den Mixtopf.
2. Nun fügst du das Olivenöl hinzu und dünstest die Zwiebel 3 Minuten lang bei 100 °C im Linkslauf im Varoma an.
3. Zerteile danach den Blumenkohl in Röschen und schäle und halbiere die Karotten.
4. Gib den Blumenkohl und die Karotten, zusammen mit der Gemüsebrühe, für 15 Minuten auf Stufe 2 bei 100 °C in den Mixtopf und lass die Suppe leicht köcheln.
5. Anschließend fügst du den Frischkäse und das Paprikapulver hinzu und pürierst die Suppe stufenweise. Fange dabei mit Stufe 4 an und steigere langsam bis Stufe 8. Schmecke die Suppe noch mit dem Salz und dem Pfeffer ab.
6. Abschließend brätst du die Krabben zusammen mit dem Olivenöl in einer Pfanne an.
7. Serviere die Hälfte der Suppe auf 2 Tellern und garniere sie mit den Krabben. Die 2. Hälfte der Suppe frierst du ein.

Hinweis:

Dauer: 40 min (Zubereitungszeit 20 min)
Punkte (pro Portion): 4
Nährwerte (pro Portion): 353 kcal, 8 g KH, 10 g EW, 30 g FE

Snack

HASELNUSS-KEKSE

30 Portionen

ZUTATEN:

- 3 Eier
- 100 g Xylit
- 300 g gemahlene Haselnüsse

ZUBEREITUNG:

1. Heize den Backofen anfangs bereits auf 150 °C Ober-/Unterhitze vor.
2. Nun gibst du die Eier und den Xylit für 4 Minuten auf Stufe 4 in den Mixtopf.
3. Danach gibst du die gemahlenen Haselnüsse zu der Eiermasse hinzu und vermengst den Teig eine Minute lang auf Stufe 4.
4. Lege ein Backblech mit Backpapier aus und verteile darauf, mit Hilfe von 2 Teelöffeln, 30 etwa gleichgroße Teigkleckse.
5. Gib das Backblech für 25 Minuten in den vorgeheizten Backofen.
6. Abschließend nimmst du die Kekse aus dem Ofen und lässt sie auskühlen. 10 der Kekse sind der heutige Snack. Die restlichen 20 Kekse gibst du für später in eine Dose.

Hinweis:

Dauer: 40 min
Punkte (pro Portion): 3
Nährwerte (pro Portion): 77 kcal, 2 g KH, 2 g EW, 1 g FE

TAG 3

Frühstück:	Brötchen mit Frischkäse und Ei
Mittagessen:	Karottennudeln mit Bolognesesoße
Abendessen:	Gemüse-Käse-Puffer
Snack:	Apfel-Mandel-Muffins

Frühstück

BRÖTCHEN MIT FRISCHKÄSE UND EI

2 Portionen

ZUTATEN:

Brötchen

- Brötchen aufbacken

Belag

- 50 g Frischkäse
- ½ Gurke
- 2 Tomaten
- 2 hartgekochte Eier
- Salz und Pfeffer zum Abschmecken

ZUBEREITUNG:

1. Nimm die Brötchen am Vorabend aus der Tiefkühltruhe, um sie auftauen zu lassen. Morgens bäckst du sie 10 Minuten lang bei 180 °C Ober-/Unterhitze im Backofen auf.
2. Schneide zwischenzeitlich die Gurke, die Tomaten und die Eier in Scheiben und würze diese mit etwas Salz und Pfeffer.
3. Bestreiche die aufgebackenen Brötchen mit dem Frischkäse und belege sie abschließend mit den Gurken-, Tomaten- und Eierscheiben.

Hinweis:

Dauer: 10 min (Brötchen bereits zubereitet und eingefroren)
Punkte (pro Portion): 10
Nährwerte (pro Portion): 463 kcal, 12 g KH, 23 g EW, 34 g FE

Mittagessen

KAROTTENNUDELN MIT BOLOGNESESOSSE

2 Portionen

ZUTATEN:

Soße

- 2 EL Olivenöl
- 1 Zwiebel
- 1 Knoblauchzehe
- 1 Chilischote
- 200 g Hackfleisch, halb und halb
- 1 Bund Suppengrün (Karotte, Sellerie, Lauch)
- 100 ml Gemüsebrühe
- 1 Dose stückige Tomaten
- 2 Tomaten
- 2 EL Tomatenmark
- 2 TL Paprikapulver
- ½ TL Thymian
- Salz und Pfeffer zum Abschmecken

Karottennudeln

- 3 große Karotten
- 1 EL Olivenöl
- Salz und Pfeffer zum Abschmecken

ZUBEREITUNG:

1. Schäle und halbiere zunächst die Zwiebel und den Knoblauch und gib beides, zusammen mit der Chilischote, für 5 Sekunden auf Stufe 5 in den Mixtopf. Fülle die zerkleinerten Zutaten für später in ein Schälchen um.
2. Anschließend schälst du die Karotten und den Sellerie. Gib beides, zusammen mit dem Lauch, für 5 Sekunden auf Stufe 5 in den Mixtopf.
3. Nun gibst du die Zwiebel, den Knoblauch und die Chilischote zusammen mit dem Olivenöl in eine Pfanne und dünstest alles an, bis die Zwiebeln glasig werden.
4. Gib anschließend das Hackfleisch und das zerkleinerte Suppengrün hinzu und brate alles zusammen in der Pfanne an.
5. Wenn das Hackfleisch durch ist, gibst du den Inhalt der Pfanne in den Mixtopf.
6. Füge schließlich die Gemüsebrühe, das Tomatenmark und die Dosentomaten hinzu.
7. Die Tomaten würfelst du und gibst sie, zusammen mit dem Paprikapulver und dem Thymian, ebenfalls in den Mixtopf. Würze die Soße nun noch mit etwas Salz und Pfeffer und lass sie 60 Minuten lang bei 100 °C im Linkslauf auf Stufe 2 leicht köcheln. Du verwendest hierbei keinen Deckel und setzt den Gareinsatz als Spritzschutz ein.
8. Während die Soße kocht, wäschst du die Karotten und schälst sie mit einem Gemüseschäler der Länge nach zu dünnen Streifen.
9. Erhitze nun das Olivenöl in einer Pfanne und schwenke die Karottennudeln darin. Würze sie dabei mit etwas Salz und Pfeffer.
10. Wenn die Soße fertig ist, gibst du die Karottennudeln in den Mixtopf, vermengst sie mit der Soße und servierst sie auf 2 Tellern.

Hinweis:

Dauer: 1 h 30 min (Zubereitungszeit 30 min)
Punkte (pro Portion): 14
Nährwerte (pro Portion): 565 kcal, 47 g KH, 19 g EW, 32 g FE

Abendessen

GEMÜSE-KÄSE-PUFFER

2 Portionen

ZUTATEN:

- 2 mittelgroße Zucchini
- 2 Karotten
- 70 g Haferflocken
- 50 g Gouda light
- 2 Eier
- 1 TL gekörnte Gemüsebrühe
- Salz und Pfeffer zum Abschmecken

ZUBEREITUNG:

1. Gib alle Zutaten zusammen für 1 Minute auf Stufe 5 in den Mixtopf.
2. Dann legst du ein Backblech mit Backpapier aus und formst aus dem Teig 6 Gemüsepuffer, welche du auf dem Backpapier verteilst.
3. Gib das Backblech bei 180 °C Umluft für 25 Minuten in den Backofen.

Hinweis:

Dauer: 35 min
Punkte (pro Portion): 8
Nährwerte (pro Portion): 350 kcal, 32 g KH, 21 g EW, 15 g FE

Snack

APFEL-MANDEL-MUFFINS

6 Portionen

ZUTATEN:

Teig

- 2 Eier
- 100 g gemahlene Mandeln
- 50 g Butter
- 1 Fläschchen Vanille-Aroma
- 1 TL Zimt
- 4 TL Xylit
- 1 Pck. Backpulver

Apfelmasse

- 1 Apfel
- 1 EL Zitronensaft
- 1 TL Zimt
- 1 EL Xylit

ZUBEREITUNG:

1. Trenne die Eier und gib die Eiweiße in den Mixtopf.
2. Danach setzt du den Schmetterling ein und schlägst die Eiweiße 4 Minuten lang auf Stufe 4 steif. Fülle den Eischnee für später in ein Schälchen um und spüle den Mixtopf für die weitere Zubereitung einmal aus.
3. Nun gibst du die beiden Eigelbe, die gemahlenen Mandeln, die Butter, das Vanille-Aroma, den Zimt, das Backpulver und den Xylit für 30 Sekunden auf Stufe 4 in den Mixtopf.
4. Fülle die Eigelbmasse zum Eisschnee und hebe sie vorsichtig mit einem Spatel unter. Decke den Teig ab und lasse ihn 15 Minuten lang ruhen.
5. Spüle nun erneut den Mixtopf sauber bevor du mit der weiteren Zubereitung fortfährst.
6. Schäle und entkerne nun die Äpfel und gib sie 4 Sekunden lang auf Stufe 8 in den Mixtopf.
7. Füge den Zitronensaft, den Zimt und den Xylit hinzu und vermenge alles 30 Sekunden lang auf Stufe 4.
8. Gib die Apfelmasse mit zum Teig hinzu, wenn dieser 15 Minuten lang geruht hat, und vermenge alles vorsichtig miteinander.
9. Teile den Teig auf 6 Muffin-Förmchen auf, verteile diese auf einem Backblech und backe die Muffins 25 Minuten lang bei 160 °C Ober-/Unterhitze.
10. Nach der Backzeit lässt du die Muffins abkühlen. 2 Muffins sind für den heutigen Snack vorgesehen und die restlichen 4 Muffins frierst du ein.

Hinweis:

Dauer: 1 h (Zubereitung 25 min)
Punkte (pro Portion): 3
Nährwerte (pro Portion): 651 kcal, 23 g KH, 16 g EW, 53 g FE

TAG 4

Frühstück:	Eiweißbrot ohne Nüsse mit Reste-Aufschnitt
Mittagessen:	Gemüseeintopf
Abendessen:	Eiersalat mit Spargel
Snack:	Kokoskuchen

Frühstück

EIWEISSBROT OHNE NÜSSE MIT RESTE-AUFSCHNITT

2 Portionen

ZUTATEN:

Brot

- Brot aufbacken

Aufschnitt

- 50 g Butter
- 100 g Gouda light
- ½ Gurke
- Salz und Pfeffer zum Abschmecken

ZUBEREITUNG:

1. Nimm bereits am Vorabend den Rest von dem eingefrorenen Brot aus der Tiefkühltruhe und backe es vor dem Essen auf.
2. Währenddessen kannst du die Gurke in Scheiben schneiden.
3. Bestreiche die Brotscheiben mit der Butter und belege sie mit dem Gouda, welchen du zuvor in Scheiben schneidest. Lege abschließend die Gurkenscheiben darüber und würze diese mit etwas Salz und Pfeffer.

Hinweis:

Dauer: 10 min (Brot bereits zubereitet und eingefroren)
Punkte (pro Portion): 17
Nährwerte (pro Portion): 750 kcal, 36 g KH, 49 g EW, 49 g FE

Mittagessen

GEMÜSEEINTOPF

4 Portionen

ZUTATEN:

- 40 g Butter
- 1 große Zwiebel
- 4 große Karotten
- 1 Kohlrabi
- 1 Bund Suppengrün (Karotte, Lauch, Sellerie, Petersilie)
- 800 ml Wasser
- 2 Würste
- 4 TL gekörnte Gemüsebrühe
- 1 TL Paprikapulver
- 1 Msp. Muskat
- Salz und Pfeffer zum Abschmecken

ZUBEREITUNG:

1. Schäle die Zwiebel, den Kohlrabi, den Sellerie und eine Karotte. Schneide alles, zusammen mit dem Lauch und der Petersilie, grob in Stücke und gib diese 8 Sekunden lang auf Stufe 5 in den Mixtopf.
2. Gib nun die Butter hinzu und dünste das zerkleinerte Gemüse 3 Minuten lang im Varoma auf Stufe 1 an. Dann füllst du alles für später in ein Schälchen um.
3. Anschließend schälst du die restlichen Karotten und gibst diese in groben Stücken für 6 Sekunden auf Stufe 4 in den Mixtopf.
4. Danach gibst du das Wasser und die Gemüsebrühe mit in den Mixtopf und verschließt diesen.
5. Verteile das zuvor angedünstete Gemüse und die Würste im Varoma-Aufsatz. Würze das Ganze mit Salz, Pfeffer und Muskat, setze den Varoma auf und lass alles 45 Minuten lang im Varoma auf Stufe 1 garen.
6. Fülle nun alles zusammen in eine große Schüssel und vermenge es miteinander.
7. Verteile die Hälfte der Suppe, inklusive beider Würste, auf 2 Teller und friere die zweite Hälfte der Suppe ein.

Hinweis:

Dauer: 1 h 15 min (Zubereitungszeit 25 min)
Punkte (pro Portion): 7
Nährwerte (pro Portion): 254 kcal, 13 g KH, 9 g EW, 18 g FE

Abendessen

EIERSALAT MIT SPARGEL

2 Portionen

ZUTATEN:

- 5 Eier
- 2 EL Naturjoghurt
- 1 kleines Glas Spargel
- 10 Cherrytomaten
- 600 ml Wasser
- 2 TL Senf
- 1 TL Pfeffer
- 2 TL Currypulver
- Salz zum Abschmecken

ZUBEREITUNG:

1. Gib den Senf, den Joghurt, das Salz, den Pfeffer und das Currypulver für 6 Sekunden auf Stufe 7 in den Mixtopf.
2. Fülle das Dressing für später in ein Schälchen um.
3. Anschließend gibst du die Eier und das Wasser 14 Minuten lang bei 100 °C auf Stufe 1 in den Garkorb.
4. Nimm den Garkorb im Anschluss wieder heraus und stelle ihn zum Abkühlen der Eier an die Seite.
5. Gieße nun den Spargel ab und schneide ihn in mundgerechte Stücke. Gib diese in eine Salatschüssel.
6. Danach halbierst du die Cocktailtomaten und gibst diese zum Spargel.
7. Die abgekühlten Eier schälst du und schneidest sie in Scheiben.
8. Gib die Eierscheiben, zusammen mit dem Dressing, in die Salatschüssel und vermenge alles miteinander.

Hinweis:

Dauer: 30 min
Punkte (pro Portion): 0
Nährwerte (pro Portion): 254 kcal, 13 g KH, 17 g EW, 14 g FE

Snack

KOKOSKUCHEN

2 Portionen

ZUTATEN:

- Kuchen auftauen lassen

ZUBEREITUNG:

1. Nimm bereits am Vorabend die Hälfte von dem eingefrorenen Kuchen aus der Tiefkühltruhe, damit er auftauen kann.
2. Vor dem Essen kannst du ihn noch einmal im Backofen aufbacken.

Hinweis:

Dauer: 5 min (Kuchen bereits zubereitet und eingefroren)
Punkte (pro Portion): 6
Nährwerte (pro Portion): 145 kcal, 8 g KH, 3 g EW, 11 g FE

TAG 5

Frühstück:	Käsemuffins mit Schinkenwürfeln
Mittagessen:	Hähnchen-Paprika-Gemüse
Abendessen:	Gemüse-Püree
Snack:	Gefüllte Eier

Frühstück

KÄSE-MUFFINS MIT SCHINKENWÜRFELN

6 Portionen

ZUTATEN:

- 150 g Gouda
- 2 Eier
- 30 g gemahlene Mandeln
- 50 g Speckwürfel
- Salz zum Abschmecken

ZUBEREITUNG:

1. Bevor du mit den Muffins anfängst, heize den Backofen auf 180 °C Ober-/Unterhitze vor.
2. Anschließend gibst du den Gouda 5 Sekunden lang auf Stufe 5 in den Mixtopf.
3. Gib die restlichen Zutaten hinzu und vermenge alles 6 Sekunden lang auf Stufe 3,5.
4. Schmecke den Teig nun noch mit etwas Salz ab und lasse ihn anschließend 5 Minuten lang quellen.
5. Danach verteilst du den Teig auf 6 Muffin-Förmchen. Stelle die Muffinförmchen auf ein Backblech und gib dieses 25 Minuten lang in den vorgeheizten Backofen.
6. Vier der Muffins sind für das heutige Frühstück und die zwei weiteren Muffins frierst du ein.

Hinweis:

Dauer: 35 min
Punkte (pro Portion): 4
Nährwerte (pro Portion): 169 kcal, 1 g KH, 11 g EW, 13 g FE

Mittagessen

HÄHNCHEN-PAPRIKA-GEMÜSERIPT:;

2 Portionen

ZUTATEN:

Hähnchen-Paprika-Gemüse

- 3,5 Paprika
- 2 Hähnchenbrustfilets
- 1 EL Olivenöl
- 1 EL Sojasoße
- 1 TL Paprikapulver
- 1 TL gekörnte Gemüsebrühe
- Salz zum Abschmecken
- 500 ml Wasser

Soße

- 1 Zwiebel
- 1 Knoblauchzehe
- 2 EL Olivenöl
- 1 EL Frischkäse
- 2 EL Sojasoße
- 1 TL Mehl
- ½ TL Majoran
- Salz und Pfeffer zum Abschmecken

ZUBEREITUNG:

1. Entkerne zunächst die Paprika und schneide sie in Streifen, die du danach im Varoma verteilst.
2. Anschließend schneidest du die Hähnchenbrustfilets in Streifen. Gib die Hähnchenstreifen zusammen mit dem Olivenöl, der Sojasoße und den Gewürzen für das Hähnchen-Paprika-Gemüse in eine Schüssel und vermische alles gut miteinander.
3. Nun verteilst du die Hähnchenstreifen auf dem Einlegeboden des Varomas.
4. Gib das Wasser zusammen mit der Gemüsebrühe in den Mixtopf, setze den Varoma auf und gare alles 22 Minuten lang im Varoma auf Stufe 1.
5. Anschließend stellst du den Varoma zur Seite. Gieße die Garflüssigkeit weg und fange 100 ml davon auf.
6. Für die Soße schäle zunächst die Zwiebel und den Knoblauch und gib beides 5 Sekunden lang auf Stufe 5 in den Mixtopf.
7. Füge das Olivenöl hinzu und dünste alles 3 Minuten lang auf Stufe 2 im Varoma.
8. Anschließend gibst du die restlichen Zutaten für die Soße hinzu und lässt die Soße 4 Minuten lang bei 100 °C auf Stufe 3 leicht köcheln.
9. Verteile das Paprikagemüse und das Hähnchenfleisch auf zwei Teller und gib abschließend die Soße darüber.

Hinweis:

Dauer: 45 min (Zubereitungszeit 25 min)
Punkte (pro Portion): 7

Nährwerte (pro Portion): 479 kcal, 21 g KH, 37 g EW, 26 g FE

Abendessen

GEMÜSE-PÜREE

2 Portionen

ZUTATEN:

- 1 kleiner Knollensellerie
- 1 Rote Beete
- 1 kleiner Blumenkohl
- 15 g Butter
- 1 TL gekörnte Gemüsebrühe
- 1 Msp. Muskat
- Salz und Pfeffer zum Abschmecken

ZUBEREITUNG:

1. Entferne zunächst die Blätter vom Blumenkohl, zerteile diesen in grobe Röschen und gib diese 4 Sekunden lang auf Stufe 6 in den Mixtopf. Fülle den zerkleinerten Blumenkohl in den Varoma um.
2. Anschließend schälst du den Knollensellerie und die Rote Beete. Gib beides für 4 Sekunden auf Stufe 6 in den Mixtopf.
3. Füge die Butter und die Gemüsebrühe hinzu, schließe den Mixtopf und setze den Varoma auf.
4. Dünste alles 20 Minuten lang auf Stufe 1 im Varoma.
5. Nimm den Varoma herunter und gib den Muskat zum Sellerie und zur Roten Beete.
6. Nun setzt du den Messerbecher ein und pürierst alles 1 Minute lang im Linkslauf auf Stufe 8.
7. Abschließend schmeckst du das Essen noch mit etwas Salz und Pfeffer ab und verteilst es auf 2 Teller.

Hinweis:

Dauer: 45 min (Zubereitungszeit 20 min)
Punkte (pro Portion): 3
Nährwerte (pro Portion): 182 kcal, 18 g KH, 10 g EW, 8 g FE

Snack

GEFÜLLTE EIER

2 Portionen

ZUTATEN:

- 4 Eier
- 600 ml Wasser
- 2 EL Kapern
- 1 rote Paprika
- 1 Tomate
- 1 Frühlingszwiebel
- 20 g Frischkäse
- 2 TL Senf
- 100 g Kochschinken
- Salz und Pfeffer zum Abschmecken

ZUBEREITUNG:

1. Gib anfangs die Eier und das Wasser 14 Minuten lang auf Stufe 1 in den Varoma.
2. Nimm den Garkorb im Anschluss wieder heraus und stelle ihn zum Abkühlen der Eier zur Seite.
3. Entkerne die Paprika und gib sie 6 Sekunden lang auf Stufe 6 in den Mixtopf.
4. Danach gibst du die Kapern, den Frischkäse und den Senf zur Paprika und vermengst alles 1 Minute lang auf Stufe 2.
5. Entferne den Strunk der Tomate und schneide diese in kleine Stücke.
6. Gib die Tomatenstücke mit in den Mixtopf und vermenge alles erneut 2 Minuten lang auf Stufe 2. Schmecke die Füllung mit etwas Salz und Pfeffer ab.
7. Nun schneidest du den Kochschinken in kleine Stücke und die Frühlingszwiebel in dünne Ringe.
8. Schäle die Eier und halbiere sie. Entferne das Eigelb und gib dieses zusammen mit dem Schinken und den Frühlingszwiebeln mit in den Mixtopf und vermenge die Füllung 3 Minuten lang auf Stufe 1.
9. Abschließend füllst du die Eierhälften mit der Füllung und gibst etwas Pfeffer darüber.

Hinweis:

Dauer: 30 min
Punkte (pro Portion): 1
Nährwerte (pro Portion): 267 kcal, 10 g KH, 22 g EW, 15 g FE

TAG 6

Frühstück:	Magerquark Power
Mittagessen:	Spinatrolle mit Käse und Schinken
Abendessen:	Schnitzel mit Zucchini-Feta-Haube
Snack:	Erbsenmuffins

Frühstück

MAGERQUARK POWER

2 Portionen

ZUTATEN:

- 300 g gefrorene Himbeeren
- 400 g Magerquark, 20 %
- 1 TL Zimt
- 1 EL Xylit
- 50 ml Wasser

ZUBEREITUNG:

1. Gib alle Zutaten für 3 Minuten auf Stufe 6 in den Mixtopf und verteile den Quark anschließend auf 2 Schälchen. Frisch schmeckt der Quark am besten.

Hinweis:

Dauer: 5 min
Punkte (pro Portion): 4
Nährwerte (pro Portion): 215 kcal, 23 g KH, 26 g EW, 2 g FE

Mittagessen

SPINATROLLE MIT KÄSE UND SCHINKEN

2 Portionen

ZUTATEN:

Spinatrolle

- 250 g TK-Spinat, aufgetaut
- 4 Eier
- 100 g Gouda light
- Salz und Pfeffer zum Abschmecken

Belag

- 4 Scheiben Schinken
- 100 g Frischkäse

ZUBEREITUNG:

1. Heize anfangs den Backofen auf 200 °C Ober-/Unterhitze vor.
2. Danach gibst du den Gouda 7 Sekunden lang auf Stufe 6 in den Mixtopf. Fülle den zerkleinerten Gouda für später in ein Schälchen um.
3. Nun gibst du den Spinat, welchen du zuvor aufgetaut hast, in den Mixtopf. Lass den Spinat und die Eier 25 Sekunden lang auf Stufe 4 schaumig schlagen.
4. Zwischenzeitlich kannst du bereits ein Backblech mit Backpapier auslegen. Verteile anschließend die Eier-Spinatmasse auf dem Backpapier.
5. Streue den geriebenen Gouda über die Masse und gib das Backblech 15 Minuten lang in den vorgeheizten Backofen.
6. Lass den Teig anschließend etwas abkühlen.
7. Danach bestreichst du ihn mit dem Frischkäse, würzt ihn noch einmal mit etwas Salz und Pfeffer und legst die Schinkenscheiben auf den Frischkäse.
8. Rolle den Teig von der einen Seite her auf, befestige ihn mit Zahnstochern und teile ihn in 2 Portionen auf.

Hinweis:

Dauer: 35 min
Punkte (pro Portion): 6
Nährwerte (pro Portion): 677 kcal, 11 g KH, 51 g EW, 46 g FE

Abendessen

SCHNITZEL MIT ZUCCHINI-FETA-HAUBE

2 Portionen

ZUTATEN:

- 2 Schweineschnitzel
- 2 mittelgroße Zucchini
- 1 EL Öl
- 150 g Frischkäse
- Salz und Pfeffer zum Abschmecken

ZUBEREITUNG:

1. Heize den Backofen auf 200 °C Ober-/Unterhitze vor.
2. Danach erhitzt du das Olivenöl in einer Pfanne und brätst die Schnitzel darin an. Brate sie von jeder Seite 3 Minuten lang an und würze sie anschließend mit Salz und Pfeffer.
3. Lege die Schnitzel nebeneinander in eine Auflaufform.
4. Gib nun die Zucchini in groben Stücken 10 Sekunden lang auf Stufe 5 in den Mixtopf.
5. Nun gibst du den Frischkäse hinzu und vermengst alles 10 Sekunden lang im Linkslauf auf Stufe 5.
6. Verteile die Zucchini-Frischkäsemasse auf den Schnitzeln und gib die Auflaufform für 30 Minuten in den vorgeheizten Backofen.

Hinweis:

Dauer: 45 min (Zubereitungszeit 15 min)
Punkte (pro Portion): 5
Nährwerte (pro Portion): 503 kcal, 6 g KH, 35 g EW, 36 g FE

Snack

ERBSENMUFFINS

2 Portionen

ZUTATEN:

- Erbsenmuffins, bereits fertig

ZUBEREITUNG:

1. Nimm für den heutigen Snack die Muffins bereits am Vorabend aus der Tiefkühltruhe.
2. Vor dem Verzehr kannst du sie dann noch einmal bei 180 °C Ober-/Unterhitze im Backofen aufbacken.

Hinweis:

Dauer: 5 min (Muffins bereits zubereitet und eingefroren)
Punkte (pro Portion): 1
Nährwerte (pro Portion): 96 kcal, 4 g KH, 7 g EW, 6 g FE

TAG 7

Frühstück:	Frühstücks-Omelett
Mittagessen:	Gemüsenudeln
Abendessen:	Garnelen-Curry-Suppe
Snack:	Zwetschgenkuchen

Frühstück

FRÜHSTÜCKS-OMELETT

2 Portionen

ZUTATEN:

- 4 Eier
- 100 g Feta
- 1 Bund Petersilie
- 1 Paprika
- 1 kleine Zwiebel
- 8 Cherrytomaten
- 1 Packung Bacon
- 500 ml Wasser
- Salz und Pfeffer zum Abschmecken

ZUBEREITUNG:

1. Schäle zunächst die Zwiebel und entkerne die Paprika. Gib beides in groben Stücken 3 Sekunden lang in den Mixtopf auf Stufe 4,5. Fülle das zerkleinerte Gemüse anschließend in ein Schälchen um.
2. Halbiere die Cherrytomaten.
3. Gib nun 50 g Feta 5 Sekunden lang auf Stufe 8 in den Mixtopf.
4. Gib die Eier und etwas Salz hinzu und vermenge alles 15 Sekunden lang auf Stufe 4.
5. Lege nun den Varoma-Einlegeboden mit Backpapier aus und verteile die Bacon-Scheiben darauf.
6. Verteile die Zwiebel- und die Paprikastücke auf dem Bacon, lege darauf die Tomaten und gieße abschließend die Eiermasse darüber.
7. Fülle nun das Wasser in den Mixtopf, verschließe den Mixtopf und setze den Varoma darauf. Gare das Omelett 25 Minuten lang mit Heizstufe im Varoma.
8. Zwischenzeitlich hackst du die Petersilie.
9. Verteile das fertige Omelett auf 2 Teller und streue 50 g zerbröselten Feta über das Omelett.
10. Abschließend verteilst du die Petersilie darüber und würzt alles nochmal mit etwas Salz und Pfeffer.

Hinweis:

Dauer: 45 min (Zubereitungszeit 20 min)
Punkte (pro Portion): 9
Nährwerte (pro Portion): 453 kcal, 13 g KH, 26 g EW, 31 g FE

Mittagessen

ZUCCHININUDELN MIT SPINAT-FETA-PESTO

2 Portionen

ZUTATEN:

Zucchininudeln

- 3 Zucchini
- 700 ml Wasser

Soße

- 1 Knoblauchzehe
- 125 g Spinatblätter
- 150 g Feta
- 2 EL Rapsöl
- Salz und Pfeffer zum Abschmecken

ZUBEREITUNG:

1. Schäle die Knoblauchzehe und gib sie 8 Sekunden lang auf Stufe 8 in den Mixtopf.
2. Anschließend gibst du die Spinatblätter und 100 g Feta für 5 Sekunden auf Stufe 8 mit in den Mixtopf.
3. Füge nun das Rapsöl hinzu und vermenge alles 10 Sekunden lang auf Stufe 5. Fülle das Pesto für später in ein Schälchen um und spüle den Mixtopf danach aus.
4. Mit Hilfe eines Spiralschneiders schneidest du die Zucchini zu Zucchininudeln. Gib die Zucchininudeln in den Varoma.
5. Danach füllst du das Wasser in den Mixtopf, setzt den Varoma auf und dünstest die Zucchininudeln 12 Minuten lang auf Stufe 1 im Varoma.
6. Verteile anschließend die Nudeln auf 2 Teller und gib das Pesto darüber. Verteile nun noch die restlichen 50 g Feta über das Essen und würze es abschließend mit etwas Salz und Pfeffer.

Hinweis:

Dauer: 30 min
Punkte (pro Portion): 2
Nährwerte (pro Portion): 298 kcal, 9 g KH, 14 g EW, 22 g FE

Abendessen

GARNELEN-CURRY-SUPPE

2 Portionen

ZUTATEN:

- 1 Paprika
- 1 mittelgroße Zucchini
- 125 g Cherrytomaten
- 1 Frühlingszwiebel
- 150 g TK-Garnelen
- 1 TL Sesamöl
- 1 TL rote Currypaste
- 1 TL Zitronengraspaste
- 1 EL Limettensaft
- 160 ml Kokosmilch
- 150 ml Wasser
- Salz und Pfeffer zum Abschmecken

ZUBEREITUNG:

1. Gib das Sesamöl, die Currypaste und die Zitronengraspaste für 5 Sekunden auf Stufe 5 in den Mixtopf und dünste die Zutaten danach 2 Minuten lang auf Stufe 1 im Varoma.
2. Füge nun die Kokosmilch und das Wasser hinzu und lass die Soße 4 Minuten lang bei 100 °C auf Stufe 1 aufkochen. Setze dafür den Messbecher ein.
3. Zwischenzeitlich entkernst du die Paprika und schneidest diese in kleine Stücke. Die Zucchini halbierst du längs und schneidest sie in Scheiben.
4. Gib die Paprika und die Zucchini, zusammen mit den Garnelen, 4 Minuten lang bei 90 °C auf Stufe 0,5 in den Mixtopf und lass die Suppe leicht köcheln. Auch hierbei setzt du wieder den Messbecher ein.
5. Halbiere in der Zwischenzeit die Tomaten und schneide die Frühlingszwiebel in Ringe. Gib beides, zusammen mit dem Limettensaft, für 4 Minuten bei 90 °C in den eingesetzten Messerbecher, im Linkslauf auf Stufe 0,5.
6. Abschließend schmeckst du die Suppe noch mit etwas Salz und Pfeffer ab und servierst sie in 2 tiefen Tellern.

Hinweis:

Dauer: 25 min
Punkte (pro Portion): 8
Nährwerte (pro Portion): 447 kcal, 17 g KH, 20 g EW, 32 g FE

Snack

ZWETSCHGENKUCHEN

4 Portionen

ZUTATEN:

- 350 g Zwetschgen
- 250 g Magerquark
- 100 g gemahlene Mandeln
- 50 g Proteinpulver Vanille
- 40 g Xylit
- ½ Pck. Backpulver
- 1 Ei
- 2 TL Zimt

ZUBEREITUNG:

1. Heize den Backofen auf 180 °C Ober-/Unterhitze vor.
2. Anschließend gibst du das Ei, den Xylit und den Magerquark 15 Sekunden lang auf Stufe 5 in den Mixtopf.
3. Vermische danach die trockenen Zutaten in einer Schale und gib sie mit zu der Eier-Quark-Masse in den Mixtopf. Vermenge alles 15 Sekunden lang auf Stufe 5.
4. Nun legst du den Boden deiner Springform mit Backpapier aus und füllst den fertigen Kuchenteig hinein. Streiche ihn abschließend noch etwas glatt.
5. Entferne nun die Kerne der Zwetschgen und halbiere sie.
6. Lege die Zwetschgen mit der Schnittfläche nach oben kreisförmig, von außen beginnend, auf den Teig in der Springform.
7. Gib den zubereiteten Kuchen nun für 60 Minuten in den vorgeheizten Backofen.
8. Abschließend streust du den Zimt über den Kuchen.
9. Teile den Kuchen nun auf 2 Hälften auf. Die eine Hälfte ist für den heutigen Snack und die zweite Hälfte frierst du ein, sobald der Kuchen abgekühlt ist.

Hinweis:

Dauer: 1 h 30 min (Zubereitungszeit 30 min)
Punkte (pro Portion): 13
Nährwerte (pro Portion): 636 kcal, 35 g KH, 50 g EW, 31 g FE

Ernährungsplan – Woche 4

TAG 1

Frühstück:	Powerfrühstück mit Obst
Mittagessen:	Kohlrabi-Karotten-Gemüse
Abendessen:	Käse-Paprika-Hähnchen
Snack:	Kidneybohnen-Brownies

Frühstück

POWERFRÜHSTÜCK MIT OBST

2 Portionen

ZUTATEN:

- 1 EL Chiasamen
- 1 EL Leinsamen
- 35 g Mandeln
- 250 g Naturjoghurt, fettarm
- 2 TL Leinöl
- 1 Apfel
- 1 Banane
- 1 Orange

ZUBEREITUNG:

1. Gib zunächst die Chiasamen und die Leinsamen 7 Sekunden lang auf Stufe 8 in den Mixtopf, um sie zu schroten.
2. Nun gibst du die Mandeln für 5 Sekunden auf Stufe 6 hinzu.
3. Anschließend gibst du den Naturjoghurt und das Leinöl hinzu und vermengst alles 30 Sekunden lang auf Stufe 2,5.
4. Verteile den Joghurt auf 2 Schälchen und bereite anschließend das Obst zu.
5. Hierfür entkernst du den Apfel und schneidest ihn in kleine Stücke. Die Banane schälst du und schneidest sie in Scheiben. Die Orange schälst du ebenfalls und schneidest sie, wie den Apfel, in kleine Stücke.
6. Verteile das Obst abschließend über dem Joghurt.

Hinweis:

Dauer: 15 min
Punkte (pro Portion): 6
Nährwerte (pro Portion): 361 kcal, 30 g KH, 12 g EW, 20 g FE
https://www.rezeptwelt.de/grundrezepte-rezepte/powerfruehstueck-mit-chia-low-carb-vegan/wykmg1dt-e7ec3-128439-cfcd2-uhbsphu9

Mittagessen

KOHLRABI-KAROTTEN-GEMÜSE

2 Portionen

ZUTATEN:

Gemüse

- 3 mittelgroße Karotten
- 1 großer Kohlrabi
- 1 l Gemüsebrühe

Soße

- 1 Zwiebel
- 20 g Butter
- ½ TL Johannisbrotkernmehl
- 50 ml kaltes Wasser
- 200 ml Sahne
- 1 Bund Petersilie
- 2 TL Paprikapulver
- ½ TL Chilipulver
- 1 Prise Muskat
- Salz und Pfeffer zum Abschmecken

ZUBEREITUNG:

1. Schäle zunächst die Karotten und schneide sie in dicke Scheiben.
2. Nun schälst du den Kohlrabi und schneidest diesen in Würfel.
3. Danach gibst du 500 ml Gemüsebrühe in den Mixtopf, setzt den Gareinsatz ein und verteilst die Karotten darin. Gare die Karotten 15 Minuten lang bei 100 °C auf Stufe 1 im Varoma.
4. Fülle die Karotten für später in eine Schüssel um und gib die restlichen 500 ml der Gemüsebrühe in den Mixtopf.
5. Hänge den Gareinsatz wieder ein und verteile die Kohlrabiwürfel darin. Lass diese 20 Minuten lang bei 100 °C im Varoma auf Stufe 1 garen.
6. Für die Soße fängst du, für die spätere Zubereitung, 500 ml der Gemüsebrühe in einem Glas auf.
7. Schäle und halbiere danach die Zwiebel und gib diese 4 Sekunden lang auf Stufe 5 in den Mixtopf.
8. Danach verrührst du das Johannisbrotkernmehl mit dem kalten Wasser.
9. Gib nun die Butter zur Zwiebel hinzu und dünste die Zwiebel 3,5 Minuten lang bei 100 °C auf Stufe 1 an.
10. Fülle die aufgefangene Gemüsebrühe mit in den Mixtopf. Füge nun die Sahne und das Johannisbrotkernmehl-Wasser hinzu. Lass die Soße 10 Minuten lang bei 100 °C im Varoma auf Stufe 3 aufkochen.
11. Zwischenzeitlich kannst du die Petersilie fein hacken.
12. Gib anschließend das Paprikapulver, das Chilipulver und den Muskat hinzu und schmecke die Soße mit etwas Salz und Pfeffer ab. Vermische sie nun noch einmal 3 Sekunden lang auf Stufe 3.

13. Nun gibst du die gegarten Karottenscheiben, die gegarten Kohlrabiwürfel und die Petersilie zur Soße hinzu. Vermenge abschließend alles vorsichtig 10 Minuten lang bei 50 °C im Linkslauf, so dass das Gemüse den Geschmack der Soße aufnehmen kann, und serviere es in 2 tiefen Tellern.

Hinweis:

Dauer: 1 h 30 min (Zubereitungszeit 30 min)
Punkte (pro Portion): 18
Nährwerte (pro Portion): 447 kcal, 23 g KH, 7 g EW, 35 g FE

Abendessen

KÄSE-PAPRIKA-HÄHNCHEN

2 Portionen

ZUTATEN:

Käse-Paprika-Hähnchen

- 2 Paprika
- 2 Hähnchenbrustfilets
- 1 TL Thymianpulver
- 100 g Gouda light
- Salz zum Abschmecken

Marinade

- 50 g Gouda light
- 1 EL Olivenöl
- 1 TL Knoblauchpulver
- 1 TL Paprikapulver
- Salz und Pfeffer zum Abschmecken

ZUBEREITUNG:

1. Heize den Ofen auf 200 °C Ober-/Unterhitze vor.
2. Entkerne und halbiere die Paprika.
3. Lege ein Backblech mit Backpapier aus und verteile die Paprikahälften mit der Öffnung nach oben darauf.
4. Nun gibst du 50 g Gouda für die Marinade in groben Stücken 5 Sekunden lang auf Stufe 8 in den Mixtopf.
5. Gib den zerkleinerten Gouda zusammen mit dem Knoblauchpulver, dem Paprikapulver und dem Olivenöl in eine Schüssel. Rühre die Marinade gründlich um und schmecke sie mit etwas Salz und Pfeffer ab.
6. Halbiere nun die Hähnchenbrustfilets und gib sie zusammen mit dem Thymian, dem Salz und 100 g Gouda 6 Sekunden lang auf Stufe 10 in den Mixtopf.
7. Fülle nun die Hähnchenbrustfiletmasse in die Paprika und gib abschließend die Marinade darüber.
8. Zum Schluss gibst du die Paprika 25 Minuten lang in den vorgeheizten Backofen.

Hinweis:

Dauer: 40 Minuten (Zubereitungszeit 15 min)
Punkte (pro Portion): 5
Nährwerte (pro Portion): 574 kcal, 12 g KH, 66 g EW, 27 g FE

Snack

KIDNEYBOHNEN-BROWNIES

2 Portionen

ZUTATEN:

- 30 g Mandeln
- 1 Dose Kidneybohnen
- 2 Eier
- 4 EL Backkakao
- 3 EL Rapsöl
- 8 Datteln
- 1 Pck. Vanillezucker
- 1 Pck. Backpulver

ZUBEREITUNG:

1. Heize den Backofen zunächst auf 200 °C Umluft vor.
2. Entkerne die Datteln und gib diese, zusammen mit den Mandeln, 10 Sekunden lang auf Stufe 5 in den Mixtopf.
3. Lass nun die Kidneybohnen gut abtropfen und gib diese, zusammen mit den restlichen Zutaten, in den Mixtopf.
4. Lege eine Auflaufform mit Backpapier aus und fülle den Teig hinein. Die Auflaufform gibst du 20 Minuten lang in den vorgeheizten Backofen.

Hinweis:

Dauer: 30 min
Punkte (pro Portion): 17
Nährwerte (pro Portion): 579 kcal, 46 g KH, 19 g EW, 33 g FE

TAG 2

Frühstück:	Erbsenmuffins
Mittagessen:	Gemüsespaghetti mit Basilikum-Walnuss-Pesto
Abendessen:	Käse-Schinken-Pfannkuchen
Snack:	Knäckebrot mit Kichererbsenmehl

Frühstück

ERBSENMUFFINS

2 Portionen

ZUTATEN:

- Erbsenmuffins, bereits fertig

ZUBEREITUNG:

1. Nimm für den heutigen Snack die 3 restlichen Muffins bereits am Vorabend aus der Tiefkühltruhe.
2. Vor dem Verzehr kannst du sie dann noch einmal bei 180 °C Ober-/Unterhitze im Backofen aufbacken.

Hinweis:

Dauer: 5 min (Muffins bereits zubereitet und eingefroren)
Punkte (pro Portion): 1
Nährwerte (pro Portion): 96 kcal, 4 g KH, 7 g EW, 6 g FE

Mittagessen

GEMÜSESPAGHETTI MIT BASILIKUM-WALNUSS-PESTO

2 Portionen

ZUTATEN:

Pesto

- 2 Knoblauchzehen
- 50 g Parmesan
- 50 g Walnüsse
- 50 g Basilikum
- ½ TL Salz
- 30 ml Olivenöl
- 40 g geröstete Pinienkerne

Gemüsespaghetti

- 3 mittelgroße Zucchini
- 1 l Wasser
- Salz und Pfeffer zum Abschmecken

ZUBEREITUNG:

1. Gib den Parmesan 8 Sekunden lang auf Stufe 5 in den Mixtopf und fülle ihn für später in ein Schälchen um.
2. Nun schälst du den Knoblauch und lässt ihn 3 Sekunden lang auf Stufe 8 in das laufende Messer fallen.
3. Danach gibst du den zerkleinerten Parmesankäse, die Walnüsse, das Basilikum, die Pinienkerne und das Salz für 10 Sekunden auf Stufe 8 in den Mixtopf.
4. Füge nun das Olivenöl hinzu und lass das Pesto 5 Sekunden lang auf Stufe 3 vermengen. Gib das Pesto für später in ein Schälchen und spüle den Mixtopf kurz aus.
5. Mit Hilfe eines Spiralschneiders schneidest du die Zucchini zu Zucchinispaghetti. Gib die Zucchinispaghetti in den Varoma und würze sie mit etwas Salz und Pfeffer.
6. Anschließend füllst du den Mixtopf mit dem Wasser auf, setzt den Varoma auf und garst die Zucchinispaghetti 20 Minuten lang auf Stufe 1 im Varoma.
7. Abschließend gibst du das fertige Pesto über die Zucchinispaghetti, vermengst beides miteinander und servierst es auf 2 tiefen Tellern.

Hinweis:

Dauer: 35 min
Punkte (pro Portion): 8
Nährwerte (pro Portion): 554 kcal, 11 g KH, 23 g EW, 44 g FE

Abendessen

KÄSE-SCHINKEN-PFANNKUCHEN

2 Portionen

ZUTATEN:

- 150 g Gouda light
- 100 g Mehl
- 250 ml Milch, fettarm
- 4 Eier
- 1 Packung gekochter Schinken
- 150 g Frischkäse
- Salz und Pfeffer zum Abschmecken

ZUBEREITUNG:

1. Gib zunächst den Gouda für 5 Sekunden auf Stufe 7 in den Mixtopf.
2. Danach gibst du das Mehl, die Milch, die Eier und eine Prise Salz hinzu und vermengst den Teig 10 Sekunden lang auf Stufe 4.
3. Heize nun den Backofen auf 220 °C Umluft vor und lege ein Backblech mit Backpapier aus.
4. Verteile den Teig auf dem Backblech und gib dieses 17 Minuten lang in den Backofen.
5. Nach der Backzeit kannst du den warmen Pfannkuchen direkt mit dem Frischkäse bestreichen, den Schinken darauf verteilen und den Pfannkuchen mit etwas Salz und Pfeffer würzen.
6. Rolle den Pfannkuchen von einer Seite her auf, halbiere ihn und verteile ihn auf 2 Teller.

Hinweis:

Dauer: 35 min (Zubereitungszeit 15 min)
Punkte (pro Portion): 17
Nährwerte (pro Portion): 787 kcal, 46 g KH, 66 g EW, 35 g FE
https://www.rezeptwelt.de/backen-herzhaft-rezepte/kaese-schinken-

Snack

KNÄCKEBROT MIT KICHERERBSENMEHL

2 Portionen

ZUTATEN:

- Knäckebrot, bereits fertig

ZUBEREITUNG:

1. Nimm für den heutigen Snack das restliche Knäckebrot aus der Dose.

Hinweis:

Dauer: Bereits zubereitet
Punkte (pro Portion): 2
Nährwerte (pro Portion): 408 kcal, 21 g KH, 18 g EW, 26 g FE

TAG 3

Frühstück:	Apfel-Zimt-Rührei
Mittagessen:	Griechischer Salat
Abendessen:	Zucchini-Crèmesuppe
Snack:	Zwetschgenkuchen

Frühstück

APFEL-ZIMT-RÜHREI

2 Portionen

ZUTATEN:

- 20 g Butter
- ½ Gurke
- 3 Eier
- 2 säuerliche Äpfel
- 20 ml Mineralwasser
- 1 TL Zimt

ZUBEREITUNG:

1. Entkerne und viertle zunächst die Äpfel, bevor du sie 8 Sekunden lang auf Stufe 5 in den Mixtopf gibst.
2. Dann gibst du die restlichen Zutaten, bis auf die Butter und die Gurke, zu den Äpfeln und vermengst alles 10 Sekunden lang im Linkslauf auf Stufe 3.
3. Lass die Butter in der Pfanne schmelzen, gib den Teig in die Pfanne und brate die Eier-Apfelmasse in der Pfanne an. Währenddessen kannst du den Teig mit einem Pfannenwender zerpflücken, um den Teig von allen Seiten gut anzubraten.
4. Abschließend schneidest du die Gurke in Scheiben und verteilst sie, zusammen mit dem Rührei, auf 2 Teller.

Hinweis:

Dauer: 15 min
Punkte (pro Portion): 4
Nährwerte (pro Portion): 239 kcal, 14 g KH, 8 g EW, 16 g FE

Mittagessen

GRIECHISCHER SALAT

2 Portionen

ZUTATEN:

Salat

- 150 g Feta light
- 1 kleiner Eisbergsalat
- 2 Tomaten
- ½ Gurke

Dressing

- 1 Knoblauchzehe
- 1 Bund Petersilie
- 2 EL Olivenöl
- 1 EL Balsamico
- Salz und Pfeffer zum Abschmecken

ZUBEREITUNG:

1. Gib den Feta 3 Sekunden lang auf Stufe 5 in den Mixtopf und fülle ihn anschließend für später in ein Schälchen um.
2. Dann schneidest du den Eisbergsalat klein und gibst diesen in eine ausreichend große Salatschüssel.
3. Die Tomaten schneidest du in Würfel und die Gurke halbierst du längs, bevor du sie in Scheiben schneidest. Gib beides zum Eisbergsalat hinzu.
4. Für das Dressing schälst du den Knoblauch und gibst diesen zusammen mit der Petersilie 3 Sekunden lang auf Stufe 8 in den Mixtopf.
5. Gib das Olivenöl und den Balsamico mit in den Mixtopf und vermenge das Dressing 25 Sekunden lang auf Stufe 4. Schmecke es abschließend noch mit etwas Salz und Pfeffer ab.
6. Abschließend gibst du den Feta zum Salat, vermengst alles vorsichtig miteinander und gibst das Dressing darüber.

Hinweis:

Dauer: 20 min
Punkte (pro Portion): 8
Nährwerte (pro Portion): 370 kcal, 11 g KH, 15 g EW, 28 g FE

Abendessen

ZUCCHINI-CRÈMESUPPE

2 Portionen

ZUTATEN:

- 1 Zwiebel
- 1 Knoblauchzehe
- 2 mittelgroße Zucchini
- 1 Bund Petersilie
- 70 g Crème fraîche
- 400 ml Gemüsebrühe
- 1 EL Olivenöl
- 1 Prise Muskat
- Salz und Pfeffer zum Abschmecken

ZUBEREITUNG:

1. Schäle und halbiere zunächst die Zwiebel und den Knoblauch und gib beides zusammen für 5 Sekunden auf Stufe 5 in den Mixtopf.
2. Nun gibst du das Olivenöl hinzu und dünstest die Zwiebel und den Knoblauch 2 Minuten lang bei 100 °C auf Stufe 1 im Mixtopf an.
3. Gib nun die Zucchini in groben Stücken 3 Sekunden lang auf Stufe 5 mit in den Mixtopf und dünste alles zusammen für weitere 2 Minuten bei 100 °C auf Stufe 1 an.
4. Danach fügst du die Gemüsebrühe hinzu und lässt die Suppe 15 Minuten lang bei 98 °C auf Stufe 1 leicht köcheln.
5. Anschließend gibst du die Crème fraîche dazu und pürierst die Suppe 30 Sekunden lang. Fange dabei mit Stufe 6 an und erhöhe langsam bis auf Stufe 9.
6. Schmecke die Suppe abschließend mit dem Muskat, dem Salz und dem Pfeffer ab und serviere sie in 2 tiefen Tellern.

Hinweis:

Dauer: 20 min
Punkte (pro Portion): 7
Nährwerte (pro Portion): 243 kcal, 12 g KH, 5 g EW, 18 g FE

Snack

ZWETSCHGENKUCHEN

2 Portionen

ZUTATEN:

- Zwetschgenkuchen, bereits fertig

ZUBEREITUNG:

1. Nimm für den heutigen Snack den Zwetschgenkuchen bereits am Vorabend aus der Tiefkühltruhe.
2. Vor dem Verzehr kannst du ihn dann noch einmal bei 180 °C Ober-/Unterhitze im Backofen aufbacken.

Hinweis:

Dauer: 5 min (Kuchen bereits zubereitet und eingefroren)
Punkte (pro Portion): 13
Nährwerte (pro Portion): 636 kcal, 35 g KH, 50 g EW, 31 g FE

TAG 4

Frühstück:	Apfel-Pflaumen-Hirsebrei
Mittagessen:	Kohlrabi-Curry-Salat
Abendessen:	Dorade in Salzkruste mit Selleriepüree
Snack:	Energiekugeln

Frühstück

APFEL-PFLAUMEN-HIRSEBREI

2 Portionen

ZUTATEN:

Hirsebrei

- 50 g Hirseflocken
- 2 mittelgroße Äpfel
- 6 Pflaumen
- 140 ml Wasser
- 2 TL Honig
- 1 TL Zimt

Topping

- 1 kleine Banane
- 4 Pflaumen

ZUBEREITUNG:

1. Entkerne und halbiere die Äpfel und gib sie 3 Sekunden lang auf Stufe 5 in den Mixtopf.
2. Entkerne die Pflaumen und gib diese, zusammen mit dem Wasser und den Hirseflocken, mit in den Mixtopf zu den Äpfeln.
3. Lasse den Hirsebrei nun 10 Minuten lang bei 100 °C auf Stufe 1 aufkochen.
4. Füge im Anschluss den Honig und den Zimt hinzu und püriere alles 10 Sekunden lang auf Stufe 8.
5. Fülle den Brei in 2 Schälchen um und lass ihn 10 Minuten lang quellen.
6. Zwischenzeitlich bereitest du das Obst für das Topping zu.
7. Für das Topping entkernst du die Pflaumen und schneidest diese in kleine Würfel. Die Banane schneidest du in Scheiben.
8. Verteile das Obst abschließend über dem Hirsebrei.

Hinweis:

Dauer: 20 min
Punkte (pro Portion): 4
Nährwerte (pro Portion): 270 kcal, 60 g KH, 3 g EW, 1 g FE

Mittagessen

KOHLRABI-CURRY-SALAT

2 Portionen

ZUTATEN:

- 500 ml Wasser
- 1 kleiner Becher griechischer Joghurt, fettarm
- 2 Eier
- 2 mittelgroße Kohlrabi
- 1 kleine Dose Erbsen
- 1 rote Paprika
- 2 TL Currypulver
- Salz und Pfeffer zum Abschmecken

ZUBEREITUNG:

1. Gib zunächst das Wasser in den Mixtopf und hänge den Gareinsatz ein.
2. Lege die Eier in den Gareinsatz und setze danach den Varoma auf.
3. Nun schälst und würfelst du den Kohlrabi. Verteile die Kohlrabiwürfel im Varomabehälter und lass alles 20 Minuten lang auf Stufe 1 garen.
4. Gib die gegarten Kohlrabiwürfel, zusammen mit den Erbsen aus der Dose, in eine ausreichend große Salatschüssel.
5. Nun schreckst du die Eier mit Wasser ab. Danach pellst und viertelst du die Eier und gibst die Eierwürfel mit in die Salatschüssel.
6. Entkerne die Paprika, würfle diese und gib die Paprikawürfel ebenfalls mit zum Salat hinzu.
7. Anschließend gibst du den Naturjoghurt mit den Gewürzen 5 Sekunden lang auf Stufe 8 in den Mixtopf. Gib das Dressing nun noch mit in die Salatschüssel und vermenge alles miteinander. Stelle den Salat eine Stunde im Kühlschrank kalt, damit alles durchziehen kann.

Hinweis:

Dauer: 1 h 30 min (Zubereitungszeit 15 min, 1 h kaltstellen)
Punkte (pro Portion): 0
Nährwerte (pro Portion): 269 kcal, 30 g KH, 18 g EW, 8 g FE

Abendessen

DORADE IN SALZKRUSTE MIT SELLERIEPÜREE

2 Portionen

ZUTATEN:

Püree

- 700 ml Wasser
- 500 g Sellerie
- 2 mittelgroße Kartoffeln
- 50 g Butter
- 1 Prise Muskat
- Salz und Pfeffer zum Abschmecken

Dorade

- 1 Dorade, ausgenommen und geputzt
- 500 g grobes Meersalz

ZUBEREITUNG:

1. Gib das Wasser in den Mixtopf und erwärme es 8 Minuten lang im Varoma auf Stufe 1.
2. Zwischenzeitlich schälst und würfelst du den Sellerie und die Kartoffeln und verteilst beides im Garkörbchen. Hänge das Garkörbchen ein.
3. Danach verteilst du eine ordentliche Schicht Salz im Varoma, legst die Dorade darauf und gibst das restliche Salz darüber, so dass der Fisch gut ummantelt ist.
4. Setze den Varoma auf und gare den Sellerie, die Kartoffeln und die Dorade 20 Minuten lang auf Stufe 1 im Varoma.
5. Leere anschließend den Mixtopf und gib den Sellerie und die Kartoffeln zusammen mit den restlichen Zutaten für das Püree in den Mixtopf. Püriere sie 10 Sekunden lang auf Stufe 7.
6. Löse nun die Salzkruste von dem Fisch, ziehe die Haut ab, entnimm die oberen Filets und gib diese auf einen Teller.
7. Nun entfernst die Gräten und gibst die unteren Filets auf einen zweiten Teller.
8. Verteile abschließend das Selleriepüree auf die beiden Teller und gib noch etwas Meersalz darüber.

Hinweis:

Dauer: 45 min
Punkte (pro Portion): 12
Nährwerte (pro Portion): 414 kcal, 22 g KH, 32 g EW, 21 g FE

Snack

ENERGIEKUGELN

8 Portionen

ZUTATEN:

Kugeln

- 200 g gemahlene Mandeln
- 50 g Backkakao
- 8 getrocknete Datteln, entkernt
- 1 Vanilleschote
- 1 Prise Salz

zum Wälzen

- 50 g gemahlene Mandeln

ZUBEREITUNG:

1. Gib die Datteln 10 Sekunden lang auf Stufe 10 in den Mixtopf.
2. Füge die gemahlenen Mandeln, den Backkakao, das Mark der Vanilleschote und das Salz hinzu. Vermenge alles 10 Sekunden lang auf Stufe 8.
3. Forme aus dem Teig 8 etwa gleichgroße Energiekugeln und wälze diese abschließend in den gemahlenen Mandeln.

Hinweis:

Dauer: 15 min
Punkte (pro Portion): 8
Nährwerte (pro Portion): 107 kcal, 2 g KH, 6 g EW, 4 g FE

TAG 5

Frühstück:	Eiweißbrot mit Gouda, Tomate und Gurke
Mittagessen:	Kohlrabi-Hackauflauf
Abendessen:	Überbackene Zwiebelsuppe
Snack:	Vanillepudding

Frühstück

EIWEISSBROT MIT GOUDA, TOMATE UND GURKE

6 Portionen

ZUTATEN:

Brot

- 500 g Magerquark
- 250 g Haferkleie
- 50 g Dinkelkleie
- 6 Eier
- 1 EL Leinsamen
- 1 EL Chiasamen
- 1 EL Sonnenblumenkerne
- 1 TL Salz
- 1 TL Kümmel
- 1 Pck. Backpulver

Belag

- 80 g Gouda
- 2 Tomaten
- ½ Gurke
- Salz und Pfeffer zum Abschmecken

ZUBEREITUNG:

1. Heize den Backofen auf 200 °C Ober-/Unterhitze vor.
2. Dann gib alle Zutaten für das Brot zusammen für 1 Minute ohne Temperatur im Linkslauf auf Stufe 4 in den Mixtopf. Schiebe zwischendrin den Teig immer mal wieder mit dem Spatel nach unten.
3. Lege eine Kastenform mit Backpapier aus und gib den Teig hinein.
4. Gib das Brot 50 Minuten in den vorgeheizten Backofen und lasse es anschließend abkühlen, bevor du es aus der Form holst.
5. Wenn es abgekühlt ist, schneidest du das ganze Brot in Scheiben. Ein Drittel der Scheiben sind für das heutige Frühstück und die restlichen frierst du ein.
6. Schneide für das heutige Frühstück den Gouda, die Tomaten und die Gurke in Scheiben. Belege das Brot mit dem Gouda und dem Gemüse und würze es abschließend noch mit etwas Salz und Pfeffer.

Hinweis:

Dauer: 1 h (Zubereitungszeit 15 min)
Punkte (pro Portion): 8
Nährwerte (pro Portion): 372 kcal, 30 g KH, 27 g EW, 15 g FE

Mittagessen

KOHLRABI-HACKAUFLAUF

6 Portionen

ZUTATEN:

- 250 g Hackfleisch
- 500 ml Wasser
- 150 g Gouda leicht
- 1 mittelgroßer Kohlrabi
- 100 g Crème fraîche
- 1 kleiner Becher Cremefine
- 1 EL Olivenöl
- 1 Prise Muskat
- 3 TL Paprikapulver
- Salz und Pfeffer zum Abschmecken

ZUBEREITUNG:

1. Gib zunächst den Gouda 6 Sekunden lang auf Stufe 7 in den Mixtopf und fülle ihn danach für später in ein Schälchen um.
2. Du kannst den Ofen nun auf 200 °C Ober-/Unterhitze vorheizen.
3. Jetzt schälst und würfelst du den Kohlrabi. Gib das Wasser in den Mixtopf, verteile die Kohlrabiwürfel im Varoma, setze diesen auf und gare den Kohlrabi 15 Minuten lang auf Stufe 1 im Varoma.
4. In der Zwischenzeit brätst du das Hackfleisch zusammen mit dem Olivenöl in der Pfanne an und würzt es mit Salz und Pfeffer.
5. Gib den fertigen Kohlrabi und das Hackfleisch in eine Auflaufform, vermenge beides und bereite anschließend die Soße zu.
6. Für die Soße gibst du Crème fraîche, Cremefine, Muskat und Paprikapulver 8 Sekunden lang auf Stufe 8 in den Mixtopf.
7. Gib die Soße über das Hackfleisch und den Kohlrabi, vermenge alles miteinander und streue den anfangs zerkleinerten Gouda darüber.
8. Abschließend gibst du den Auflauf 30 Minuten lang in den vorgeheizten Backofen.

Hinweis:

Dauer: 1 h (Zubereitungszeit 20 min)
Punkte (pro Portion): 9
Nährwerte (pro Portion): 275 kcal, 3 g KH, 16 g EW, 22 g FE

Abendessen

ÜBERBACKENE ZWIEBELSUPPE

2 Portionen

ZUTATEN:

- 500 ml Gemüsebrühe
- 100 g Gouda light
- 4 mittelgroße Zwiebeln
- 1 Knoblauchzehe
- 200 g Tofu
- 2 EL Olivenöl
- 1 Bund Petersilie
- 1 Prise Kümmel
- Salz und Pfeffer zum Abschmecken

ZUBEREITUNG:

1. Gib den Gouda zunächst 6 Sekunden lang auf Stufe 7 in den Mixtopf und fülle ihn danach für später in ein Schälchen um.
2. Nun schälst und halbierst du die Zwiebeln und den Knoblauch. Gib beides 10 Sekunden lang auf Stufe 4 in den Mixtopf.
3. Gib nun das Olivenöl, den Kümmel und etwas Salz und Pfeffer hinzu und dünste die Zwiebeln ohne Messbecher 10 Minuten lang bei 120 °C auf Stufe 1 an.
4. Zwischenzeitlich schneidest du den Tofu in Würfel und gibst diesen anschließend für weitere 5 Minuten bei 120 °C auf Stufe 1 mit in den Mixtopf. Setze hierfür den Messbecher ein.
5. Heize nun den Backofen auf 225 °C Ober-/Unterhitze vor.
6. Hacke die Petersilie und gib diese mit in den Mixtopf.
7. Füge danach die Gemüsebrühe mit in den Mixtopf und vermenge alles 10 Sekunden lang im Linkslauf auf Stufe 3.
8. Anschließend lässt du die Suppe 20 Minuten lang bei 100 °C im Linkslauf auf Stufe 1 kochen.
9. Schmecke die Suppe nochmal mit den Gewürzen ab, gib sie in eine Auflaufform, streue den Gouda darüber und überbacke die Suppe 15 Minuten lang im vorgeheizten Backofen.

Hinweis:

Dauer: 1 h 15 min (Zubereitungszeit 30 min)
Punkte (pro Portion): 9
Nährwerte (pro Portion): 531 kcal, 26 g KH, 28 g EW, 33 g FE

Snack

VANILLEPUDDING

2 Portionen

ZUTATEN:

- 350 ml Milch
- 1 Ei
- 1 Prise Salz
- ½ TL Johannisbrotkernmehl
- 1 Vanilleschote

ZUBEREITUNG:

1. Gib das Mark der Vanilleschote zusammen mit den restlichen Zutaten in den Mixtopf.
2. Lass den Pudding 7 Minuten lang bei 90 °C auf Stufe 3 leicht aufkochen und serviere ihn in 2 Schälchen.

Hinweis:

Dauer: 10 min
Punkte (pro Portion): 4
Nährwerte (pro Portion): 121 kcal, 10 g KH, 8 g EW, 5 g FE

TAG 6

Frühstück:	Protein-Pancakes
Mittagessen:	Käsesalat mit Thunfisch
Abendessen:	Flammkuchen aus Blumenkohlteig
Snack:	Gewürzgurken-Dip mit Rohkost

Frühstück

PROTEIN-PANCAKES

2 Portionen

ZUTATEN:

- 2 Bananen
- 4 Eier
- 5 EL Proteinpulver
- 1 Pck. Backpulver
- 50 ml Milch
- 1 EL Kokosöl

ZUBEREITUNG:

1. Gib zunächst die Bananen für 10 Sekunden auf Stufe 5 in den Mixtopf.
2. Danach setzt du den Schmetterling ein.
3. Gib die restlichen Zutaten, bis auf das Kokosöl, mit in den Mixtopf und schlage den Teig 1 Minute lang auf Stufe 3 schaumig.
4. Zerlasse danach das Kokosöl in einer Pfanne und brate die Pancakes darin an.

Hinweis:

Dauer: 20 min
Punkte (pro Portion): 5
Nährwerte (pro Portion): 379 kcal, 29 g KH, 20 g EW, 19 g FE

Mittagessen

KÄSESALAT MIT THUNFISCH

2 Portionen

ZUTATEN:

- 100 g Gouda
- 2 rote Paprika
- 1 kleiner Eisbergsalat
- 1 Dose Thunfisch im eigenen Saft
- 10 ml Olivenöl
- 1 EL Balsamico Essig
- Salz und Pfeffer zum Abschmecken

ZUBEREITUNG:

1. Entkerne zunächst die Paprika und schneide diese in mundgerechte Stücke, welche du in den Mixtopf gibst.
2. Nun würfelst du den Gouda und gibst diesen zur Paprika.
3. Danach gibst du das Olivenöl und den Balsamico-Essig ebenfalls mit in den Mixtopf. Vermenge alles 4 Sekunden lang auf Stufe 4.
4. Schneide den Eisbergsalat in Stücke und gib diese zusammen mit dem Inhalt des Mixtopfes in eine ausreichend große Salatschüssel.
5. Lasse den Thunfisch abtropfen und gib ihn mit zum Salat. Schmecke den Salat abschließend mit etwas Salz und Pfeffer ab und verteile ihn auf 2 tiefe Teller.

Hinweis:

Dauer: 15 min
Punkte (pro Portion): 6
Nährwerte (pro Portion): 372 kcal, 13 g KH, 34 g EW, 19 g FE

Abendessen

FLAMMKUCHEN AUS BLUMENKOHLTEIG

6 Portionen

ZUTATEN:

- 1 mittelgroßer Blumenkohl
- 1 Ei
- 100 g Gouda
- 150 g Crème fraîche
- 1 rote Zwiebel
- 150 g gewürfelter Speck
- 1 TL Salz
- 1 EL TK-Kräuter

ZUBEREITUNG:

1. Gib zunächst den Gouda 6 Sekunden lang auf Stufe 7 in den Mixtopf. Fülle ihn für später in ein Schälchen um.
2. Danach zerteile den Blumenkohl in einzelne Röschen und gib diese 3 Sekunden lang auf Stufe 6 in den Mixtopf.
3. Gib nun den zerkleinerten Gouda, zusammen mit dem Ei, dem Salz und den TK-Kräutern, in den Mixtopf und vermenge alles 15 Sekunden lang auf Stufe 5.
4. Heize den Backofen auf 200 °C Ober-/Unterhitze vor und lege ein Backblech mit Backpapier aus.
5. Verteile den Teig auf dem Backblech und rolle ihn darauf aus. Gib das Backblech mit dem Teig zunächst für 20 Minuten in den vorgeheizten Backofen.
6. Nach den 20 Minuten Backzeit bestreichst du den Teig mit der Crème fraîche.
7. Die rote Zwiebel schneidest du in Ringe und verteilst diese, zusammen mit dem gewürfelten Speck, auf der Crème fraîche. Gib den Flammkuchen abschließend nochmal für 10 Minuten in den Backofen.

Hinweis:

Dauer: 45 min (Zubereitungszeit 20 min)
Punkte (pro Portion): 8
Nährwerte (pro Portion): 257 kcal, 5 g KH, 13 g EW, 20 g FE

Snack

GEWÜRZGURKEN-DIP MIT ROHKOST

2 Portionen

ZUTATEN:

Dip

- 15 ml Mineralwasser
- 1 kleiner Becher Magerquark
- 1 kleines Glas Gewürzgurken
- Salz und Pfeffer zum Abschmecken

Rohkost

- ½ Gurke
- 250 g Cocktailtomaten
- 1 kleiner Kohlrabi

ZUBEREITUNG:

1. Lass die Gewürzgurken abtropfen und gib diese für 8 Sekunden auf Stufe 4 in den Mixtopf. Fülle die Gurken für später in ein Schälchen um.
2. Nun gibst du das Mineralwasser, den Magerquark, das Salz und den Pfeffer für 8 Minuten auf der Teigstufe in den Mixtopf, um den Dip cremig zu rühren.
3. Füge im Anschluss die zerkleinerten Gewürzgurken wieder hinzu und vermenge den Dip 4 Sekunden lang auf Stufe 3. Den fertigen Dip kannst du noch einmal mit etwas Salz und Pfeffer abschmecken, bevor du ihn in ein Schälchen umfüllst.
4. Schneide nun die Rohkost in dicke Scheiben und halbiere die Cocktailtomaten. Den Kohlrabi schälst du und schneidest ihn zu Sticks. Gib das zugeschnittene Gemüse in ein Schälchen.

Hinweis:

Dauer: 20 min
Punkte (pro Portion): 2
Nährwerte (pro Portion): 134 kcal, 13 g KH, 18 g EW, 1 g FE

TAG 7

Frühstück:	Kidneybohnen-Brötchen mit Rührei und Speck
Mittagessen:	Karotten-Hähnchen-Topf
Abendessen:	Gegrillter Spargel mit Zitrone und Feta
Snack:	Pistazieneis

Frühstück

KIDNEYBOHNEN-BRÖTCHEN MIT RÜHREI UND SPECK

2 Portionen

ZUTATEN:

Brötchen

- 1 Dose Kidneybohnen
- 4 Eier
- 1 TL Backpulver
- 40 g Flohsamenschalen
- 130 ml heißes Wasser
- Salz zum Abschmecken

Rührei

- 60 g Butter, halbfett
- 50 g gewürfelter Speck
- 4 Eier
- Salz und Pfeffer zum Abschmecken

ZUBEREITUNG:

1. Spüle die Kidneybohnen unter fließendem Wasser gut ab und gib sie mit 4 Eiern, dem Backpulver und etwas Salz für 12 Sekunden auf Stufe 8 in den Mixtopf.
2. Anschließend gibst du die Flohsamenschalen hinzu und vermengst alles 5 Sekunden lang auf Stufe 5.
3. Gib danach das heiße Wasser hinzu und vermenge den Teig 7 Sekunden lang auf Stufe 4. Lasse den Teig nun noch für 10 Minuten im Mixtopf, damit er quellen kann.
4. Lege zwischenzeitlich ein Backblech mit Backpapier aus und heize den Backofen auf 175 °C Ober-/Unterhitze vor.
5. Forme aus dem Teig 8 etwa gleich große Brötchen, verteile diese auf dem Backblech und gib dieses für 55 Minuten in den vorgeheizten Backofen.
6. Lasse die Brötchen abkühlen, bevor du sie isst. 4 der Brötchen sind für das heutige Frühstück und die restlichen 4 Brötchen frierst du für später ein.
7. Zerlasse nun die Butter in der Pfanne und gib den Speck und die Eier für das Rührei hinzu. Verquirle während des Anbratens das Rührei und würze es mit etwas Salz und Pfeffer.
8. Schneide die Brötchen auf und verteile das Rührei darauf.

Hinweis:

Dauer: 1 h 30 min (Zubereitungszeit 20 min)
Punkte (pro Portion): 7
Nährwerte (pro Portion): 589 kcal, 27 g KH, 30 g EW, 38 g FE

Mittagessen

KAROTTEN-HÄHNCHEN-TOPF

2 Portionen

ZUTATEN:

- 2 Zwiebeln
- 1 Knoblauchzehe
- 4 mittelgroße Karotten
- 2 Hähnchenunterkeulen
- 200 ml Gemüsebrühe
- 1 Bund Petersilie
- 4 TL Olivenöl
- 1 TL Currypulver
- 2 TL Honig
- Salz und Pfeffer zum Abschmecken

ZUBEREITUNG:

1. Würze zunächst die Hähnchenunterkeulen mit Salz, Pfeffer und Currypulver.
2. Nun gibst du 2 TL Olivenöl in eine Pfanne und brätst das Fleisch von allen Seiten scharf an.
3. Schäle die Karotten und brate diese 2 Minuten mit an.
4. Danach schälst und halbierst du die Zwiebeln und den Knoblauch und gibst beides 5 Sekunden lang auf Stufe 5 in den Mixtopf.
5. Gib nun das restliche Olivenöl mit in den Mixtopf und dünste die Zwiebeln und den Knoblauch 2 Minuten lang bei 100 °C auf Stufe 1.
6. Füge die Gemüsebrühe, den Honig, die Hähnchenunterkeulen und die Karotten ebenfalls in den Mixtopf hinzu und lass alles zusammen 30 Minuten lang im Linkslauf auf Stufe 1 im Varoma kochen.
7. Zwischenzeitlich kannst du die Petersilie klein hacken.
8. Abschließend gibst du die Petersilie dazu, schmeckst alles noch einmal mit etwas Salz und Pfeffer ab und verteilst die Hähnchenunterkeulen und die Karotten auf 2 Teller. Die restliche Soße kannst du darüber verteilen.

Hinweis:

Dauer: 1 h (Zubereitungszeit 20 min)
Punkte (pro Portion): 8
Nährwerte (pro Portion): 393 kcal, 26 g KH, 5 g EW, 28 g FE

Abendessen

GEGRILLTER SPARGEL MIT ZITRONE UND FETA

2 Portionen

ZUTATEN:

- 750 g grüner Spargel
- 80 g Feta
- Salz und Pfeffer zum Abschmecken

Marinade:

- 2 Knoblauchzehen
- Saft einer Zitrone
- 2 EL Olivenöl
- 1 TL Oregano
- 1 TL Paprikapulver

ZUBEREITUNG:

1. Schneide die Enden des Spargels ab.
2. Danach bereitest du die Marinade zu. Hierfür schälst du den Knoblauch und gibst diesen 5 Sekunden lang auf Stufe 5 in den Mixtopf.
3. Presse die Zitrone aus und gib den Zitronensaft zusammen mit den restlichen Zutaten für die Marinade 10 Sekunden lang auf Stufe 5 in den Mixtopf.
4. Verteile den Spargel in einer Auflaufform, gib die Marinade darüber und vermenge beides gut miteinander. Lass die Marinade etwa 30 Minuten lang einziehen.
5. Anschließend gibst du den Spargel in eine Aluschale und grillst ihn bei mittlerer Hitze von beiden Seiten.
6. Nach dem Wenden bröselst du den Feta über den Spargel und würzt den Spargel nochmal mit etwas Salz und Pfeffer.
7. Den gegrillten Spargel verteilst du auf 2 Teller und gibst die Marinade, welche noch in der Auflaufform geblieben ist, als Soße darüber.

Hinweis:

Dauer: 1 h (Zubereitungszeit 15 min, 30 min marinieren)
Punkte (pro Portion): 3
Nährwerte (pro Portion): 304 kcal, 11 g KH, 14 g EW, 22 g FE

Snack

PISTAZIENEIS

2 Portionen

ZUTATEN:

- 50 g Pistazien
- 300 ml Milch
- 60 g Crème fraîche
- 2 Eigelb
- 100 g Xylit
- Mark einer Vanilleschote
- 1 TL Johannisbrotkernmehl

ZUBEREITUNG:

1. Gib zuerst die Pistazien für 20 Sekunden auf Stufe 8 in den Mixtopf, um sie zu mahlen.
2. Dann gibst du die restlichen Zutaten hinzu und erwärmst alles 20 Minuten lang bei 80 °C auf Stufe 3.
3. Fülle die Masse danach in eine flache Gefrierdose und stell sie 6 Stunden lang in die Tiefkühltruhe.
4. Wenn die Masse gefroren ist, gibst du sie 30 Sekunden lang auf Stufe 6 in den Mixtopf. Gib die Masse nun wieder in die Gefrierdose und stelle sie erneut in die Tiefkühltruhe.
5. Das Eis muss nun mindestens 4 Stunden in der Tiefkühltruhe bleiben, bevor es fertig ist.

Hinweis:

Dauer: 30 min (zzgl. 10 h in der Tiefkühltruhe)
Punkte (pro Portion): 24
Nährwerte (pro Portion): 441 kcal, 44 g KH, 15 g EW, 32 g FE

Ernährungsplan – Woche 5

TAG 1

Frühstück:	Eiskaffee
Mittagessen:	Gemüsesuppe mit Hackfleischbällchen
Abendessen:	Süßkartoffel-Zitronengras-Suppe
Snack:	Low-Carb-Raffaello

Frühstück

EISKAFFEE

2 Portionen

ZUTATEN:

- 3 EL löslicher Kaffee
- 250 g Eiswürfel
- 500 ml Milch

ZUBEREITUNG:

1. Gib zunächst den Kaffee und die Eiswürfel 10 Sekunden lang auf Stufe 10 in den Mixtopf.
2. Nun gibst du die Milch mit in den Mixtopf und vermengst alles 7 Sekunden lang auf Stufe 10.
3. Verteile den kalten Eiskaffee direkt auf 2 Gläser und genieße ihn sofort.

Hinweis:

Dauer: 5 min
Punkte (pro Portion): 5
Nährwerte (pro Portion): 120 kcal, 13 g KH, 8 g EW, 4 g FE

Mittagessen

GEMÜSESUPPE MIT HACKFLEISCHBÄLLCHEN

2 Portionen

ZUTATEN:

- 250 g Hackfleisch
- 1 Zwiebel
- 1 kleiner Kohlrabi
- 1 mittelgroßer Brokkoli
- 1 mittelgroße Karotte
- 1 Dose stückige Tomaten
- 100 ml Gemüsebrühe
- Salz und Pfeffer zum Abschmecken

ZUBEREITUNG:

1. Schäle zunächst die Zwiebel, den Kohlrabi und die Karotten. Gib das Gemüse in groben Stücken für 5 Sekunden auf Stufe 5 in den Mixtopf.
2. Nun gibst du die stückigen Tomaten und die Gemüsebrühe mit in den Mixtopf.
3. Verschließe den Deckel und setze den Varoma auf.
4. Den Brokkoli zerteilst du in Röschen und gibst diese in den Varoma.
5. Forme nun aus dem Hackfleisch kleine, etwa gleichgroße Kugeln und verteile diese auf dem Einlegeboden des Varomas.
6. Schließe den Deckel des Varomas und gare alles zusammen 30 Minuten lang auf Stufe 1.
7. Abschließend gibst du alles zusammen in den Mixtopf, vermengst es miteinander und schmeckst es mit Salz und Pfeffer ab, bevor du es auf 2 Teller verteilst.

Hinweis:

Dauer: 1 h (Zubereitungszeit 30 min)
Punkte (pro Portion): 10
Nährwerte (pro Portion): 433 kcal, 32 g KH, 36 g EW, 17 g FE

Abendessen

SÜSSKARTOFFEL-ZITRONENGRAS-SUPPE

2 Portionen

ZUTATEN:

- Süßkartoffel-Zitronengras-Suppe, bereits fertig
- Salz und Pfeffer zum Abschmecken

ZUBEREITUNG:

1. Nimm für das heutige Abendbrot die Suppe bereits am Vormittag aus der Tiefkühltruhe.
2. Vor dem Verzehr füllst du die Suppe in einen Topf um, erwärmst sie langsam und schmeckst sie mit etwas Salz und Pfeffer ab.
3. Verteile die fertige Suppe auf zwei tiefe Teller.

Hinweis:

Dauer: 5 min (Suppe bereits zubereitet und eingefroren)
Punkte (pro Portion): 15
Nährwerte (pro Portion): 484 kcal, 44 g KH, 4 g EW, 31 g FE

Snack

LOW-CARB-RAFFAELO

2 Portionen

ZUTATEN:

- Low-Carb-Raffaello, bereits fertig

ZUBEREITUNG:

1. Die Raffaello sind bereits fertig. Du kannst für den heutigen Snack die restlichen Raffaello aus dem Kühlschrank nehmen.

Hinweis:

Dauer: Bereits zubereitet
Punkte (pro Portion): 1
Nährwerte (pro Portion): 52 kcal, 1 g KH, 4 g EW, 3 g FE

TAG 2

Frühstück:	Bananen-Pfannkuchen
Mittagessen:	Tomaten-Fischtopf
Abendessen:	Überbackene Aubergine
Snack:	Protein-Himbeeren

Frühstück

BANANEN-PFANNKUCHEN

2 Portionen

ZUTATEN:

- 2 Bananen
- 3 Eier
- 2 EL Chiasamen
- 1 TL Zimt
- 1 EL Kokosöl
- 2 TL Agavendicksaft

ZUBEREITUNG:

1. Gib zunächst die Bananen, in groben Stücken, für 20 Sekunden auf Stufe 5 in den Mixtopf.
2. Nun gibst du die Eier hinzu und lässt alles 1 Minute lang auf Stufe 4 schaumig schlagen.
3. Füge die Chiasamen und den Zimt hinzu und vermenge alles 2 Minuten lang auf Stufe 4. Lass den Teig nun noch 10 Minuten stehen, damit die Chiasamen aufquellen können.
4. Zerlasse anschließend das Kokosöl in der Pfanne und brate die Pfannkuchen bei mittlerer Hitze von beiden Seiten darin an. Je nach Größe der Pfannkuchen erhältst du mehr oder weniger Pfannkuchen, welche du auf zwei Teller verteilst und mit dem Agavendicksaft beträufelst.

Hinweis:

Dauer: 25 min
Punkte (pro Portion): 6
Nährwerte (pro Portion): 237 kcal, 13 g KH, 9 g EW, 16 g FE

Mittagessen

TOMATEN-FISCHTOPF

2 Portionen

ZUTATEN:

- 2 Seelachsfilets
- 100 g Garnelen
- 1 Dose gehackte Tomaten
- 1 Porree
- 1 Zwiebel
- 100 ml Milch
- 1 TL Dill
- 1 TL Olivenöl
- 2 EL Zitronensaft
- Salz und Pfeffer zum Abschmecken

ZUBEREITUNG:

1. Schneide den Seelachs in Stücke, gib den Zitronensaft darüber und lass diesen 10 Minuten lang einziehen.
2. Nun schälst und halbierst du die Zwiebel und gibst diese 5 Sekunden lang auf Stufe 5 in den Mixtopf.
3. Den Porree schneidest du in Ringe und gibst diese zu den Zwiebeln in den Mixtopf.
4. Füge das Olivenöl hinzu und dünste das Gemüse 3 Minuten lang im Linkslauf bei 120 °C auf Stufe 1 an.
5. Anschließend gibst du die gehackten Tomaten und die Milch mit in den Thermomix. Den Seelachs und die Garnelen verteilst du auf einer Alufolie, welche du in den Varoma gibst. Würze den Fisch mit etwas Salz und Pfeffer, setze den Varoma auf und gare alles 15 Minuten lang im Linkslauf auf Stufe 1 im Varoma.
6. Abschließend gibst du den Fisch und die Soße in eine Schüssel. Füge den Dill hinzu, vermenge alles miteinander und schmecke den Fischtopf mit Salz, Pfeffer und Zitronensaft ab, bevor du ihn auf zwei Teller verteilst.

Hinweis:

Dauer: 45 min
Punkte (pro Portion): 2
Nährwerte (pro Portion): 278 kcal, 15 g KH, 31 g EW, 10 g FE

Abendessen

ÜBERBACKENE AUBERGINE

2 Portionen

ZUTATEN:

- 2 Auberginen
- 1 Zwiebel
- 1 Knoblauchzehe
- 500 ml Wasser
- 1 Mozzarella light
- 100 g Feta
- 1 EL Olivenöl
- Salz und Pfeffer zum Abschmecken

ZUBEREITUNG:

1. Halbiere die Auberginen der Länge nach und lege die Auberginenhälften in den Varoma mit den angeschnittenen Seiten nach unten.
2. Nun füllst du das Wasser in den Mixtopf.
3. Setze den Varoma auf und gare die Auberginen 18 Minuten lang auf Stufe 1 im Varoma.
4. Zwischenzeitlich schälst du die Zwiebel und die Knoblauchzehe und heizt den Backofen auf 220 °C Ober-/Unterhitze vor.
5. Wenn die Auberginen fertig sind, leerst du den Mixtopf aus und gibst danach die Zwiebel und den Knoblauch 5 Sekunden lang auf Stufe 5 in den Mixtopf.
6. Füge das Olivenöl hinzu und dünste die Zwiebel und den Knoblauch 1 Minute lang auf Stufe 1 im Varoma an.
7. Entferne nun das Fruchtfleisch aus den Auberginen und gib dieses mit in den Mixtopf. Den Mozzarella und den Feta gibst du ebenfalls mit in den Mixtopf und vermengst die Masse 10 Sekunden lang auf Stufe 3,5. Schmecke die Masse abschließend mit etwas Salz und Pfeffer ab.
8. Lege die ausgehöhlten Auberginenhälften nebeneinander in eine Auflaufform und verteile die Masse auf die Auberginen.
9. Abschließend gibst du die Auflaufform für 20 Minuten in den vorgeheizten Backofen.

Hinweis:

Dauer: 1 h (Zubereitungszeit 25 min)
Punkte (pro Portion): 11
Nährwerte (pro Portion): 369 kcal, 14 g KH, 25 g EW, 22 g FE

Snack

PROTEIN-HIMBEEREN

2 Portionen

ZUTATEN:

- 250 g Himbeeren
- 40 g Proteinpulver
- 10 EL Milch, fettarm

ZUBEREITUNG:

1. Gib alle Zutaten in den Mixtopf und vermenge sie 1 Minute lang auf Stufe 4.
2. Nun setzt du den Schmetterling ein und vermengst alles weitere 4 Minuten lang auf Stufe 4.
3. Verteile die Protein-Himbeeren auf 2 Schälchen.

Hinweis:

Dauer: 10 min
Punkte (pro Portion): 2
Nährwerte (pro Portion): 164 kcal, 18 g KH, 11 g EW, 5 g FE

TAG 3

Frühstück:	Zitronenlimonade
Mittagessen:	Weißkohl-Hackauflauf
Abendessen:	Bärlauchquark mit Spargel
Snack:	Knäckebrot mit Kichererbsenmehl

Frühstück

FRÜHSTÜCKS-SHAKE

2 Portionen

ZUTATEN:

- 50 g Mandeln
- 50 g Haferflocken
- 2 TL Chiasamen
- 2 TL Flohsamenschalen
- 2 TL Hirseflocken
- 2 TL Leinsamen
- 2 TL Weizenkeime
- 2 Äpfel
- 2 Birnen
- 1 Banane
- 800 ml Wasser

ZUBEREITUNG:

1. Gib alle trockenen Zutaten für 10 Sekunden auf Stufe 10 in den Mixtopf, um sie zu mahlen.
2. Dann schälst und entkernst du die Äpfel und die Birnen. Die Banane schälst du ebenfalls und gibst das Obst in groben Stücken mit in den Mixtopf.
3. Gib das Wasser hinzu und püriere den Shake 10 Sekunden lang auf Stufe 8.

Hinweis:

Dauer: 10 min
Punkte (pro Portion): 10
Nährwerte (pro Portion): 487 kcal, 58 g KH, 13 g EW, 21 g FE

Mittagessen

WEISSKOHL-HACKAUFLAUF

2 Portionen

ZUTATEN:

- 100 g Gouda
- 500 ml Wasser
- 1 kleiner Weißkohl
- 250 g gemischtes Hackfleisch
- 1 rote Zwiebel
- 1 Knoblauchzehe
- 1 EL Olivenöl
- 1 Dose gehackte Tomaten
- 1 TL Paprikapulver
- 1 Prise Muskat
- Salz und Pfeffer zum Abschmecken

ZUBEREITUNG:

1. Schneide den Kohl in grobe Stücke und gib diese in den Varoma.
2. Nun füllst du das Wasser in den Mixtopf, setzt den Varoma auf und garst den Kohl 25 Minuten auf Stufe 1 im Varoma.
3. Nach der Garzeit gießt du das Wasser weg und gibst den Gouda 5 Sekunden lang auf Stufe 7 in den Mixtopf. Fülle den zerkleinerten Gouda für später in ein Schälchen um.
4. Schäle anschließend die Zwiebel und die Knoblauchzehe und zerkleinere beides 10 Sekunden lang auf Stufe 5.
5. Nun gibst du das Olivenöl, das Hackfleisch und die Gewürze hinzu, setzt den Messbecher ein und brätst das Hackfleisch, die Zwiebel und den Knoblauch 6 Minuten lang bei 120 °C auf Stufe 1 an.
6. Heize den Backofen auf 200 °C Ober-/Unterhitze vor.
7. Jetzt gibst du die gehackten Tomaten mit in den Mixtopf, setzt den Messbecher ein und lässt die Soße 5 Minuten lang bei 100 °C auf Stufe 1 aufkochen.
8. Fülle nun den zuvor gegarten Kohl in eine Auflaufform, gib die Hackfleischsoße dazu und vermenge beides.
9. Abschließend streust du den Gouda darüber und gibst den Auflauf 15 Minuten lang in den vorgeheizten Backofen.

Hinweis:

Dauer: 1 h 15 min (Zubereitungszeit 30 min)
Punkte (pro Portion): 16
Nährwerte (pro Portion): 602 kcal, 27 g KH, 46 g EW, 33 g FE

Abendessen

BÄRLAUCHQUARK MIT SPARGEL

2 Portionen

ZUTATEN:

- 50 g Bärlauch
- 1 kleiner Becher Sahnequark
- 1 TL Salz
- 30 ml Mineralwasser
- 500 g Spargel
- 500 ml Wasser

ZUBEREITUNG:

1. Gib den Bärlauch 15 Sekunden lang auf Stufe 5 in den Mixtopf.
2. Nun gibst du den Sahnequark, das Salz und das Mineralwasser hinzu und vermengst den Quark 10 Sekunden lang auf Stufe 3.
3. Fülle den Quark in ein Schälchen um und spüle den Thermomix sauber.
4. Nun gibst du das Wasser in den Mixtopf und setzt den Varoma auf.
5. Schäle den Spargel, verteile diesen im Varoma und gare den Spargel 35 Minuten lang auf Stufe 1.
6. Abschließend verteilst du den Spargel und den Bärlauchquark auf 2 Teller.

Hinweis:

Dauer: 45 min (Zubereitungszeit 10 min)
Punkte (pro Portion): 7
Nährwerte (pro Portion): 233 kcal, 10 g KH, 17 g EW, 13 g FE

Snack

KNÄCKEBROT MIT KICHERERBSENMEHL

2 Portionen

ZUTATEN:

- Knäckebrot, bereits fertig

ZUBEREITUNG:

1. Nimm für den heutigen Snack das restliche Knäckebrot aus der Dose.

Hinweis:

Dauer: Bereits zubereitet
Punkte (pro Portion): 2
Nährwerte (pro Portion): 408 kcal, 21 g KH, 18 g EW, 26 g FE

TAG 4

Frühstück:	Bananenbrot ohne Zucker
Mittagessen:	Brokkoli-Käse-Suppe
Abendessen:	Gefüllte Spitzpaprika
Snack:	Quark-Mousse au Chocolat

Frühstück

BANANENBROT OHNE ZUCKER

2 Portionen

ZUTATEN:

- 2 kleine Bananen
- 60 g gemahlene Mandeln
- 1 TL Olivenöl
- 2 Eier
- 1 Prise Salz
- 1 TL Backpulver
- 1 TL Zimt

ZUBEREITUNG:

1. Heize zunächst den Backofen auf 170 °C Ober-/Unterhitze vor.
2. Nun gibst du alle Zutaten 6 Sekunden lang auf Stufe 6 in den Mixtopf.
3. Lege eine Kastenform mit Backpapier aus und fülle den Teig hinein.
4. Gib die Kastenform 30 Minuten lang in den vorgeheizten Backofen.
5. Abschließend nimmst du die Kastenform aus dem Backofen und lässt das Bananenbrot abkühlen, bevor du es aus der Form holst und in Scheiben schneidest.

Hinweis:

Dauer: 40 min (Zubereitungszeit 10 min)
Punkte (pro Portion): 6
Nährwerte (pro Portion): 361 kcal, 22 g KH, 12 g EW, 24 g FE

Mittagessen

BROKKOLI-KÄSE-SUPPE

2 Portionen

ZUTATEN:

- 100 g Gouda light
- 1 kleiner Brokkoli
- 100 g Frischkäse
- 30 ml Wasser
- 250 ml Hühnerbrühe
- 1 TL Salz

ZUBEREITUNG:

1. Gib zunächst den Gouda 5 Sekunden lang auf Stufe 7 in den Mixtopf. Fülle den zerkleinerten Gouda für später in ein Schälchen um.
2. Anschließend zerteilst du den Brokkoli in Röschen. Diese gibst du zusammen mit dem Frischkäse, dem Wasser und dem Salz 2 Minuten lang im Linkslauf auf Stufe 3 in den Mixtopf.
3. Füge nun die Hühnerbrühe hinzu und lass die Suppe 15 Minuten lang bei 100 °C auf Stufe 1 aufkochen.
4. Abschließend gibst du den zerkleinerten Gouda mit zur Suppe, vermengst alles 20 Sekunden lang bei 100 °C auf Stufe 1 und verteilst die Suppe auf 2 tiefe Teller.

Hinweis:

Dauer: 35 min (Zubereitungszeit 15 min)
Punkte (pro Portion): 5
Nährwerte (pro Portion): 361 kcal, 7 g KH, 23 g EW, 26 g FE

Abendessen

GEFÜLLTE SPITZPAPRIKA

2 Portionen

ZUTATEN:

- 2 Spitzpaprika
- 100 g Gouda leicht
- 300 gemischtes Hackfleisch
- 1 Bund frische Petersilie
- 1 TL Salz

ZUBEREITUNG:

1. Halbiere die Paprika längs und entkerne sie.
2. Nun gibst du den Gouda, die Petersilie und das Salz für 10 Sekunden auf Stufe 4 in den Mixtopf.
3. Füge das Hackfleisch hinzu, setze den Deckel und den Messbecher auf und vermenge alles für weitere 10 Sekunden auf Stufe 3,5.
4. Heize den Backofen auf 180 °C Ober-/Unterhitze vor.
5. Lege nun die Spitzpaprika nebeneinander in eine Auflaufform und verteile die Hackfleisch-Käse-Masse gleichmäßig auf die Paprika.
6. Die Auflaufform gibst du für 35 Minuten lang in den vorgeheizten Backofen.

Hinweis:

Dauer: 45 min (Zubereitungszeit 10 min)
Punkte (pro Portion): 16
Nährwerte (pro Portion): 514 kcal, 5 g KH, 39 g EW, 36 g FE

Snack

QUARK-MOUSSE AU CHOCOLAT

2 Portionen

ZUTATEN:

- 50 g Zartbitterschokolade
- 100 ml Milch, fettarm
- 1 kleiner Becher Magerquark

ZUBEREITUNG:

1. Gib die Zartbitterschokolade für 5 Sekunden auf Stufe 6 in den Mixtopf.
2. Nun gibst du die Milch hinzu und erwärmst diese zusammen mit der Zartbitterschokolade 3 Minuten lang bei 50 °C auf Stufe 2.
3. Gib anschließend den Quark hinzu und vermenge alles zusammen 20 Sekunden lang auf Stufe 6.
4. Fülle das Quark-Mousse au Chocolat in 2 Schälchen um und stelle diese 1 Stunde lang im Kühlschrank kalt.

Hinweis:

Dauer: 1 h 15 min (Zubereitungszeit 15 min, 1 h kaltstellen)
Punkte (pro Portion): 6
Nährwerte (pro Portion): 245 kcal, 21 g KH, 18 g EW, 9 g FE

TAG 5

Frühstück:	Apfel-Mandel-Muffins
Mittagessen:	Spinat-Frittata
Abendessen:	Tomatensuppe
Snack:	Haselnuss-Kekse

Frühstück

APFEL-MANDEL-MUFFINS

2 Portionen

ZUTATEN:

- Apfel-Mandel-Muffins, bereits fertig

ZUBEREITUNG:

1. Nimm für das heutige Frühstück die Hälfte der Muffins bereits am Vorabend aus der Tiefkühltruhe.
2. Vor dem Frühstück kannst du die Muffins noch einmal kurz im Backofen aufbacken.

Hinweis:

Dauer: 5 min (Muffins bereits zubereitet und eingefroren)
Punkte (pro Portion): 3
Nährwerte (pro Portion): 651 kcal, 23 g KH, 16 g EW, 53 g FE

Mittagessen

SPINAT-FRITTATA

2 Portionen

ZUTATEN:

- 500 ml Wasser
- 100 g frischer Spinat
- 1 Zwiebel
- 1 Knoblauchzehe
- 1 EL Olivenöl
- 50 g Frischkäse
- 50 g Feta
- 3 Eier
- 1 TL Salz

ZUBEREITUNG:

1. Fülle zunächst das Wasser in den Mixtopf.
2. Nun gibst du den Spinat in den Varoma, setzt den Varoma auf, schließt den Deckel und garst den Spinat 15 Minuten lang auf Stufe 1.
3. Stelle nun den Varoma mit dem Spinat für später zur Seite und fülle das Wasser aus dem Mixtopf für später in ein anderes Gefäß um.
4. Schäle und halbiere die Zwiebel und den Knoblauch und gib beides 5 Sekunden lang auf Stufe 5 in den Mixtopf.
5. Nun gibst du das Olivenöl hinzu und dünstest die Zwiebel und den Knoblauch 3 Minuten lang auf Stufe 2 an.
6. Gib anschließend den gegarten Spinat, den Frischkäse, die Eier und das Salz mit in den Mixtopf und vermenge alles 15 Sekunden lang auf Stufe 3.
7. Feuchte nun ein Backpapier mit Wasser an, lege damit den Einlegeboden des Varomas aus und gib die Masse aus dem Mixtopf auf das Backpapier.
8. Nun würfelst du den Feta und verteilst diesen auf der Masse.
9. Gib das Wasser, welches du zur Seite gestellt hast, wieder zurück in den Mixtopf, setze den Varoma auf und gare die Spinat-Frittata 26 Minuten lang auf Stufe 1 im Varoma.
10. Entnimm die Frittata mit Hilfe des Backpapiers und serviere sie auf 2 Tellern.

Hinweis:

Dauer: 1 h (Zubereitungszeit 30 min)
Punkte (pro Portion): 4
Nährwerte (pro Portion): 367 kcal, 12 g KH, 16 g EW, 27 g FE

Abendessen

TOMATENSUPPE

2 Portionen

ZUTATEN:

- 1 Dose gehackte Tomaten
- 1 Dose passierte Tomaten
- 1 Zwiebel
- 50 g Schmand
- 1 EL Olivenöl
- 1 TL Basilikumpulver
- 1 TL Paprikapulver
- Salz und Pfeffer zum Abschmecken

ZUBEREITUNG:

1. Schäle und halbiere die Zwiebel und gib sie 5 Sekunden lang auf Stufe 5 in den Mixtopf.
2. Nun gibst du das Olivenöl hinzu und dünstest die Zwiebel 2 Minuten lang bei 100 °C auf Stufe 1 an.
3. Gib nun die gehackten und die passierten Tomaten hinzu und lass die Suppe 9 Minuten lang bei 100 °C auf Stufe 2 leicht köcheln.
4. Abschließend gibst du die restlichen Zutaten hinzu, schmeckst die Suppe mit den Gewürzen ab und pürierst stufenweise. Püriere sie 20 Sekunden lang und fange bei Stufe 4 an, dann folgt Stufe 6 und schließlich Stufe 8.
5. Serviere die fertige Suppe in 2 tiefen Tellern.

Hinweis:

Dauer: 20 min
Punkte (pro Portion): 5
Nährwerte (pro Portion): 233 kcal, 20 g KH, 8 g EW, 13 g FE

Snack

HASELNUSS-KEKSE

2 Portionen

ZUTATEN:

- Haselnuss-Kekse, bereits fertig

ZUBEREITUNG:

1. Nimm für den heutigen Snack 10 der Haselnuss-Kekse aus der Dose.

Hinweis:

Dauer: Bereits zubereitet
Punkte (pro Portion): 3
Nährwerte (pro Portion): 77 kcal, 2 g KH, 2 g EW, 1 g FE

TAG 6

Frühstück:	Erdbeer-Mandel-Pancakes
Mittagessen:	Eiweißbrot mit Frischkäse und Tomate
Abendessen:	Brokkoli-Crèmesuppe
Snack:	Kokoskuchen

Frühstück

ERDBEER-MANDEL-PANCAKES

2 Portionen

ZUTATEN:

- 3 Eier
- 2 EL Mandelmehl
- 2 EL Proteinpulver
- 50 ml Milch, fettarm
- 150 g Erdbeeren
- 20 g Xylit
- 1 TL Olivenöl
- 1 TL Honig

ZUBEREITUNG:

1. Putze und halbiere die Erdbeeren. Gib sie in ein Schälchen und bestreue sie mit dem Xylit.
2. Nun gibst du die Eier, das Mandelmehl, das Proteinpulver und die Milch 1 Minute lang auf Stufe 4 in den Mixtopf.
3. Erwärme nun das Olivenöl in der Pfanne und brate den Teig portionsweise von beiden Seiten goldbraun an.
4. Abschließend verteilst du die Pancakes auf 2 Teller, verteilst die Erdbeeren darauf und gibst etwas Honig darüber.

Hinweis:

Dauer: 15 min
Punkte (pro Portion): 4
Nährwerte (pro Portion): 258 kcal, 16 g KH, 19 g EW, 13 g FE

Mittagessen

EIWEISSBROT MIT FRISCHKÄSE UND TOMATE

2 Portionen

ZUTATEN:

Brot

- Eiweißbrot, bereits fertig

Belag

- 100 g Frischkäse
- 2 Tomaten
- Salz und Pfeffer zum Abschmecken

ZUBEREITUNG:

1. Das Eiweißbrot ist schon fertig. Entnimm bereits am Vormittag die Hälfte der Scheiben aus der Tiefkühltruhe.
2. Vor dem Mittagessen kannst du das Brot noch einmal kurz im Backofen aufbacken.
3. Zwischenzeitlich schneidest du die Tomaten in Scheiben und würzt diese mit etwas Salz und Pfeffer.
4. Abschließend bestreichst du die aufgebackenen Brotscheiben mit dem Frischkäse und verteilst die gewürzten Tomatenscheiben darauf.

Hinweis:

Dauer: 10 min (Brot bereits zubereitet und eingefroren)
Punkte (pro Portion): 9
Nährwerte (pro Portion): 530 kcal, 39 g KH, 29 g EW, 28 g FE

Abendessen

BROKKOLI-CRÈMESUPPE

2 Portionen

ZUTATEN:

- 1 Zwiebel
- 1 Knoblauchzehe
- 1 kleiner Brokkoli
- 50 g Schmand
- 400 ml Wasser
- 100 g Schafskäse
- 1 TL gekörnte Gemüsebrühe
- 1 TL Paprikapulver
- Salz und Pfeffer zum Abschmecken

ZUBEREITUNG:

1. Schäle und halbiere die Zwiebel und den Knoblauch und gib beides 3 Sekunden lang auf Stufe 5 in den Mixtopf.
2. Nun zerteilst du den Brokkoli in Röschen und gibst diese 3 Sekunden lang auf Stufe 5 mit in den Mixtopf.
3. Füge nun das Wasser, die Gemüsebrühe, das Paprikapulver, das Salz und den Pfeffer hinzu und lass die Suppe 17 Minuten lang bei 100 °C auf Stufe 1 leicht köcheln.
4. Anschließend gibst du den Schmand hinzu und pürierst die Suppe 1 Minute lang, schrittweise von Stufe 4 bis 8 ansteigend.
5. Schmecke die Suppe abschließend nochmal mit etwas Salz und Paprikapulver ab, verteile sie auf 2 Teller und zerbrösle den Schafskäse darüber.

Hinweis:

Dauer: 30 min (Zubereitungszeit 10 min)
Punkte (pro Portion): 6
Nährwerte (pro Portion): 276 kcal, 15 g KH, 17 g EW, 16 g FE

Snack

KOKOSKUCHEN

2 Portionen

ZUTATEN:

- Kokoskuchen, bereits fertig

ZUBEREITUNG:

1. Nimm bereits am Vorabend den Rest von dem eingefrorenen Kuchen aus der Tiefkühltruhe, damit er auftauen kann.
2. Vor dem Essen kannst du ihn noch einmal im Backofen aufbacken.

Hinweis:

Dauer: 5 min (Kuchen bereits zubereitet und eingefroren)
Punkte (pro Portion): 6
Nährwerte (pro Portion): 145 kcal, 8 g KH, 3 g EW, 11 g FE

TAG 7

Frühstück:	Rührei
Mittagessen:	Gemüse-Pommes
Abendessen:	Brokkoli mit Lachs
Snack:	Himbeer-Shake

Frühstück

RÜHREI

2 Portionen

ZUTATEN:

- 4 Eier
- 1 TL Paprikapulver
- 100 ml Milch, fettarm
- 2 EL Kokosöl
- Salz und Pfeffer zum Abschmecken

ZUBEREITUNG:

1. Gib alle Zutaten bis auf das Kokosöl 1 Minute lang auf Stufe 4 in den Mixtopf.
2. Nun zerlässt du das Kokosöl in einer Pfanne, gibst das Ei hinzu und brätst es auf mittlerer Stufe an. Zerpflücke es zwischendrin mit einem Pfannenwender.
3. Abschließend verteilst du es auf 2 Teller und schmeckst es nochmal mit etwas Salz und Pfeffer ab.

Hinweis:

Dauer: 10 min
Punkte (pro Portion): 12
Nährwerte (pro Portion): 250 kcal, 4 g KH, 11 g EW, 21 g FE

Mittagessen

GEMÜSE-POMMES

2 Portionen

ZUTATEN:

- 2 Zucchini
- 1 Ei
- 40 g Mandeln
- 40 g Parmesan
- 1 TL Oregano
- Salz und Pfeffer zum Abschmecken

ZUBEREITUNG:

1. Heize den Backofen zu Beginn auf 220 °C Umluft vor.
2. Nun schneidest du die Zucchini in pommesähnliche Streifen.
3. Dann gibst du die Mandeln und den Parmesan 15 Sekunden lang auf Stufe 10 in den Mixtopf.
4. Gib den Oregano, etwas Salz und Pfeffer hinzu und vermenge alles miteinander, bevor du die trockene Mischung in ein Schälchen umfüllst.
5. Danach gibst du das Ei in ein anderes Schälchen und verquirlst es.
6. Lege nun ein Backblech mit Backpapier aus.
7. Dann tunkst du die Zucchinipommes einzeln in das Ei und wälzt sie im Anschluss in der trockenen Mischung. Lege die Zucchini nebeneinander auf das Backblech und gib dieses 10 Minuten lang in den vorgeheizten Backofen.

Hinweis:

Dauer: 30 min (Zubereitungszeit 20 min)
Punkte (pro Portion): 6
Nährwerte (pro Portion): 262 kcal, 4 g KH, 16 g EW, 19 g FE

Abendessen

BROKKOLI MIT LACHS

2 Portionen

ZUTATEN:

- 1 Brokkoli
- 2 Lachsfilets
- 50 g Magerquark
- 1 TL gekörnte Gemüsebrühe
- 1 l Wasser
- 1 Prise Muskat
- Salz und Pfeffer zum Abschmecken

ZUBEREITUNG:

1. Gib zunächst das Wasser in den Mixtopf.
2. Anschließend zerteilst du den Brokkoli in Röschen und verteilst diese im Gareinsatz, bevor du diesen einhängst.
3. Nun feuchtest du ein Backpapier mit Wasser an und legst dieses in den Varomabehälter. Lege die Lachsfilets auf das Backpapier und würze sie mit etwas Salz und Pfeffer. Setze den Varoma auf und gare alles 25 Minuten lang auf Stufe 1.
4. Anschließend nimmst du den Varoma ab, entnimmst das Sieb und schüttest das Wasser weg.
5. Gib den gegarten Brokkoli zusammen mit dem Magerquark, der Gemüsebrühe, dem Muskat, etwas Salz und Pfeffer für 10 Sekunden auf Stufe 8 in den Mixtopf.
6. Abschließend servierst du den Lachs und das Brokkolipüree auf 2 Tellern.

Hinweis:

Dauer: 40 min (Zubereitungszeit 15 min)
Punkte (pro Portion): 1
Nährwerte (pro Portion): 347 kcal, 8 g KH, 38 g EW, 17 g FE

Snack

HIMBEER-SHAKE

2 Portionen

ZUTATEN:

- 250 g gefrorene Himbeeren
- 250 ml Milch
- 1 kleiner Becher Naturjoghurt

ZUBEREITUNG:

1. Gib die Himbeeren 15 Sekunden lang auf Stufe 6 in den Mixtopf.
2. Nun gibst du die Milch und den Naturjoghurt hinzu und vermengst alles 15 Sekunden lang auf Stufe 6.

Hinweis:

Dauer: 5 min
Punkte (pro Portion): 6
Nährwerte (pro Portion): 169 kcal, 18 g KH, 8 g EW, 6 g FE

Ernährungsplan – Woche 6

TAG 1

Frühstück:	Apfel-Mandel-Quark
Mittagessen:	Zucchini-Puffer
Abendessen:	Gulaschauflauf
Snack:	Brownie-Muffins

Frühstück

APFEL-MANDEL-QUARK

2 Portionen

ZUTATEN:

- 1 Apfel
- 500 g Magerquark
- 1 EL Eiweißpulver
- 250 ml Milch, fettarm
- 2 EL Mandelblättchen
- 2 EL Kokosraspel

ZUBEREITUNG:

1. Gib zunächst alle Zutaten bis auf den Apfel 30 Sekunden lang auf Stufe 4 in den Mixtopf.
2. Nun entkernst du den Apfel und schneidest diesen in kleine Stücke. Gib diese zum Quark hinzu und verrühre sie mit diesem.
3. Abschließend verteilst du den Quark auf 2 Schälchen.

Hinweis:

Dauer: 10 min
Punkte (pro Portion): 11
Nährwerte (pro Portion): 439 kcal, 24 g KH, 43 g EW, 18 g FE

Mittagessen

ZUCCHINI-PUFFER

2 Portionen

ZUTATEN:

- 100 g Gouda light
- 2 mittelgroße Zucchini
- 1 Bund Frühlingszwiebel
- 4 Eier
- 1 Prise Muskat
- 1 TL Paprikapulver
- 1 TL Salz
- 1 EL Olivenöl
- Salz und Pfeffer zum Abschmecken

ZUBEREITUNG:

1. Gib zunächst den Gouda 8 Sekunden lang auf Stufe 10 in den Mixtopf. Fülle den zerkleinerten Gouda für später in ein Schälchen um.
2. Anschließend zerteilst du die Zucchini in grobe Stücke und gibst diese 7 Sekunden lang auf Stufe 4 in den Mixtopf.
3. Fülle die Zucchini in eine große Schüssel um, gib 1 TL Salz darüber und lass alles 20 Minuten lang durchziehen, damit die Zucchini ihr Wasser abgeben.
4. Nach der Wartezeit musst du die Zucchini gut ausdrücken, um das Wasser zu entfernen.
5. Gib nun den Gouda, die Eier und die Gewürze 10 Sekunden lang auf Stufe 4 in den Mixtopf.
6. Danach schneidest du die Frühlingszwiebel in Ringe und gibst diese, zusammen mit den ausgedrückten Zucchini, 6 Sekunden lang im Linkslauf auf Stufe 3 mit in den Mixtopf. Schmecke den fertigen Teig nochmal mit etwas Salz und Pfeffer ab.
7. Danach erwärmst du das Olivenöl in einer Pfanne und gibst den Teig als kleine Puffer in die Pfanne, um sie von beiden Seiten goldbraun anzubraten.

Hinweis:

Dauer: 45 min (Zubereitungszeit 20 min)
Punkte (pro Portion): 6
Nährwerte (pro Portion): 430 kcal, 10 g KH, 25 g EW, 31 g FE

Abendessen

GULASCHAUFLAUF

2 Portionen

ZUTATEN:

- 250 g Rindergulasch
- 50 g Gouda
- 1 Zwiebel
- 1 rote Paprika
- 1 Tomate
- 2 EL Olivenöl
- 1 Dose passierte Tomaten
- 2 TL Paprikapulver
- ½ TL Chilipulver
- Salz und Pfeffer zum Abschmecken

ZUBEREITUNG:

1. Gib zunächst den Gouda 5 Sekunden lang auf Stufe 7 in den Mixtopf. Fülle ihn danach in ein Schälchen um.
2. Anschließend schälst und halbierst du die Zwiebel und gibst diese 5 Sekunden lang auf Stufe 7 in den Mixtopf.
3. Füge 1 EL Olivenöl hinzu und dünste die Zwiebel 2,5 Minuten lang auf Stufe 2 im Varoma an.
4. Währenddessen beginnst du bereits damit, das Rindergulasch zusammen mit 1 EL Olivenöl, dem Paprikapulver und etwas Salz und Pfeffer in einem Topf scharf anzubraten.
5. Nun gibst du die passierten Tomaten, das Chilipulver und das Rindergulasch in den Mixtopf und lässt alles 30 Minuten lang im Linkslauf auf Stufe 1 bei 100 °C leicht köcheln.
6. Heize nun den Backofen auf 180 °C Umluft vor.
7. Danach entkernst du die Paprika und entfernst den Stiel der Tomaten. Schneide das Gemüse in mundgerechte Stücke und gib diese in eine große Auflaufform.
8. Nach Ablauf der 30 Minuten gibst du das Rindergulasch aus dem Mixtopf mit in die Auflaufform und vermengst es mit der Tomate und der Paprika.
9. Bestreue das Gulasch mit dem Gouda und gib es abschließend 30 Minuten lang in den vorgeheizten Backofen.

Hinweis:

Dauer: 1 h 30 min (Zubereitungszeit 30 min)
Punkte (pro Portion): 10
Nährwerte (pro Portion): 487 kcal, 21 g KH, 38 g EW, 26 g FE

Snack

BROWNIE-MUFFINS

9 Portionen

ZUTATEN:

- 55 g Butter, halbfett
- 30 g Zartbitterschokolade
- 25 g Backkakao
- 2 Eier
- 100 Xylit
- 70 g Mandelmehl
- ½ TL Backpulver

ZUBEREITUNG:

1. Heize den Backofen auf 170 °C Ober-/Unterhitze vor.
2. Danach trennst du die Eier. Setze den Schmetterling ein und gib die Eiweiße 2 Minuten lang auf Stufe 4 in den Mixtopf, um sie zu Eischnee zu schlagen. Gib den Eischnee in ein Schälchen und stelle ihn für später zur Seite.
3. Nun brichst du die Schokolade in Stücke und gibst sie, zusammen mit der Butter, 3 Minuten lang auf Stufe 3 in den Mixtopf, um sie bei 80 °C zu schmelzen.
4. Füge nun die restlichen Zutaten bis auf den Eischnee mit in den Mixtopf und vermenge alles 1 Minute lang auf Stufe 4.
5. Nun füllst du den Eischnee vorsichtig hinzu und verrührst ihn 20 Sekunden lang auf Stufe 1 mit dem restlichen Teig.
6. Fülle den Teig in Muffinförmchen, stell diese auf ein Backblech und gib dieses 35 Minuten lang in den vorgeheizten Backofen.

Hinweis:

Dauer: 1 h (Zubereitungszeit 25 min)
Punkte (pro Portion): 4
Nährwerte (pro Portion): 136 kcal, 8 g KH, 6 g EW, 9 g FE

TAG 2

Frühstück:	Kidneybohnen-Brötchen mit Frischkäse und Gurke
Mittagessen:	Hühner-Paprika-Tomatentopf
Abendessen:	Eiersalat mit Paprika
Snack:	Apfel-Mandel-Muffins

Frühstück

KIDNEYBOHNEN-BRÖTCHEN MIT FRISCHKÄSE UND GURKE

2 Portionen

Brötchen

- Kidneybohnen-Brötchen, bereits fertig

Belag

- 100 g Frischkäse
- ½ Gurke
- Salz und Pfeffer zum Abschmecken

ZUBEREITUNG:

1. Du kannst die restlichen vier Brötchen bereits am Vorabend aus der Tiefkühltruhe nehmen und diese dann vor dem Frühstück einmal aufbacken.
2. Währenddessen schneidest du die Gurke in Scheiben und würzt sie mit etwas Salz und Pfeffer.
3. Abschließend halbierst du die Brötchen, bestreichst diese mit dem Frischkäse und legst die gewürzten Gurkenscheiben darauf.

Hinweis:

Dauer: 10 min (Brötchen bereits zubereitet und eingefroren)
Punkte (pro Portion): 2
Nährwerte (pro Portion): 433 kcal, 26 g KH, 20 g EW, 26 g FE

Mittagessen

HÜHNER-PAPRIKA-TOMATENTOPF

2 Portionen

ZUTATEN:

- 250 g Hühnerbrust
- 2 Paprika
- 1 Dose gewürfelte Tomaten
- 150 ml Rama Cremefine
- 1 Knoblauchzehe
- 1 Zwiebel
- 1 TL Paprikapulver
- 2 EL Olivenöl
- Salz und Pfeffer zum Abschmecken

ZUBEREITUNG:

1. Schneide das Hühnerfleisch in kleine Stücke und brate diese zusammen mit 1 EL Olivenöl in einer Pfanne an.
2. Danach schälst und halbierst du die Zwiebel und den Knoblauch und gibst beides 5 Sekunden lang auf Stufe 7 in den Mixtopf.
3. Gib das restliche Olivenöl hinzu und dünste die Zwiebel und den Knoblauch 2,5 Minuten bei 100 °C auf Stufe 2 an.
4. Entkerne anschließend die Paprika und schneide diese in mundgerechte Stücke.
5. Gib die Paprikastücke mit in den Mixtopf und dünste diese für weitere 3 Minuten bei 100 °C auf Stufe 2 an.
6. Danach entkernst du die Tomaten, würfelst sie und gibst sie zusammen mit der Sahne und den Gewürzen mit in den Mixtopf. Lass alles 10 Minuten lang auf Stufe 2 leicht köcheln.
7. Schließe den Mixtopf und püriere alles 15 Sekunden lang auf Stufe 6.
8. Abschließend gibst du das angebratene Fleisch mit in den Mixtopf. Erwärme alles 8 Minuten lang im Linkslauf bei 100 °C und schmecke alles mit Salz und Pfeffer ab.

Hinweis:

Dauer: 30 min
Punkte (pro Portion): 8
Nährwerte (pro Portion): 505 kcal, 35 g KH, 35 g EW, 23 g FE

Abendessen

EIERSALAT MIT PAPRIKA

2 Portionen

- 1 Paprika
- 5 hartgekochte Eier
- 1 kleines Glas Gewürzgurken
- 100 g Frischkäse
- 1 Bund frischer Schnittlauch
- 1 TL Senf
- Salz und Pfeffer zum Abschmecken

ZUBEREITUNG:

1. Gib zunächst die Gewürzgurke, den Frischkäse und den Senf 4 Sekunden lang auf Stufe 5 in den Mixtopf.
2. Nun schneidest du den Schnittlauch in kleine Röllchen.
3. Die hartgekochten Eier schälst und würfelst du. Gib die gewürfelten Eier und den Schnittlauch mit in den Mixtopf und vermenge alles miteinander. Schmecke den Eiersalat nochmal mit etwas Salz und Pfeffer ab.
4. Abschließend halbierst und entkernst du die Paprika und füllst die Paprika mit dem Eiersalat.

Hinweis:

Dauer: 15 min
Punkte (pro Portion): 1
Nährwerte (pro Portion): 348 kcal, 10 g KH, 16 g EW, 26 g FE

Snack

APFEL-MANDEL-MUFFINS

2 Portionen

ZUTATEN:

- Apfel-Mandel-Muffins, bereits fertig

ZUBEREITUNG:

1. Nimm für den heutigen Snack die restlichen Muffins bereits am Vorabend aus der Tiefkühltruhe.
2. Vor dem Essen kannst du die Muffins kurz noch einmal im Backofen aufbacken.

Hinweis:

Dauer: 5 min (Muffins bereits zubereitet und eingefroren)
Punkte (pro Portion): 3
Nährwerte (pro Portion): 651 kcal, 23 g KH, 16 g EW, 53 g FE

TAG 3

Frühstück:	Mandel-Zimt-Quark
Mittagessen:	Versunkene Eier
Abendessen:	Käse-Kräuter-Pfannkuchen
Snack:	Rohkost mit Paprika-Auberginen-Dip

Frühstück

MANDEL-ZIMT-QUARK

2 Portionen

ZUTATEN:

100 ml Milch, fettarm
1 kleiner Becher Magerquark
50 g gemahlene Mandeln
1 TL Eiweißpulver
1 EL Zimt

ZUBEREITUNG:

1. Setze zunächst den Schmetterling in den Mixtopf ein.
2. Nun gibst du die Milch, den Magerquark und die gemahlenen Mandeln hinzu. Schließe den Deckel und setze den Messbecher auf, bevor du alles 1 Minute lang bei 100 °C auf Stufe 2 vermengst.
3. Füge anschließend das Eiweißpulver und den Zimt hinzu und vermenge alles 20 Sekunden lang auf Stufe 3.
4. Verteile den Mandel-Zimt-Quark auf 2 Schälchen.

Hinweis:

Dauer: 10 min
Punkte (pro Portion): 7
Nährwerte (pro Portion): 268 kcal, 9 g KH, 23 g EW, 15 g FE

Mittagessen

VERSUNKENE EIER

2 Portionen

ZUTATEN:

- 4 Eier
- 4 Scheiben Kochschinken
- 100 g Gouda light
- 1 Bund Schnittlauch
- Salz und Pfeffer zum Abschmecken

ZUBEREITUNG:

1. Setze den Rühraufsatz ein und trenne die Eier. Die Eigelbe gibst du in ein Schälchen und stellst dieses für später zur Seite.
2. Die Eiweiße gibst du 4 Minuten lang auf Stufe 3,5 in den Mixtopf und schlägst sie zu Eischnee. Fülle den Eischnee für später in ein Schälchen um.
3. Nun gibst du den Gouda, den Kochschinken und den Schnittlauch 7 Sekunden lang auf Stufe 4 in den Mixtopf.
4. Hebe die zerkleinerten Zutaten mit dem Eischnee unter. Nun machst du mit der Eischneemasse 4 Haufen in einer Auflaufform. Forme jeweils eine kleine Mulde im Eisschnee und gib die Auflaufform 6 Minuten lang bei 200 °C in den Backofen.
5. Abschließend gibst du jeweils ein Eigelb in die Mulde und backst die Versunkenen Eier nochmal 8 Minuten lang bei 200 °C. Würze alles mit etwas Salz und Pfeffer und verteile jeweils 2 versunkene Eier auf einen Teller.

Hinweis:

Dauer: 30 min
Punkte (pro Portion): 5
Nährwerte (pro Portion): 358 kcal, 1 g KH, 31 g EW, 25 g FE

Abendessen

KÄSE-KRÄUTER-PFANNKUCHEN

2 Portionen

ZUTATEN:

- 4 Eier
- 100 g Gouda light
- 1 TL Oregano
- 1 Bund frische Petersilie
- 1 Bund frischer Schnittlauch
- 1 EL Butter
- Salz und Pfeffer zum Abschmecken

ZUBEREITUNG:

1. Gib zunächst die Petersilie und den Schnittlauch 3 Sekunden lang auf Stufe 8 in den Mixtopf.
2. Nun kommt der Gouda 8 Sekunden lang auf Stufe 6 mit in den Mixtopf.
3. Danach gibst du die Eier und den Oregano in den Mixtopf und vermengst alles 8 Sekunden lang auf Stufe 3,5.
4. Lasse danach die Butter in der Pfanne schmelzen und brate 4 Käse-Kräuter-Pfannkuchen darin an. Wende die Pfannkuchen zwischendrin, damit du sie von beiden Seiten goldbraun anbraten kannst.
5. Abschließend verteilst du die Pfannkuchen auf 2 Teller und würzt sie mit etwas Salz und Pfeffer.

Hinweis:

Dauer: 25 min
Punkte (pro Portion): 7
Nährwerte (pro Portion): 351 kcal, 1 g KH, 23 g EW, 27 g FE

Snack

ROHKOST MIT PAPRIKA-AUBERGINEN-DIP

2 Portionen

ZUTATEN:

Dip

- 1 rote Paprika
- 1 Aubergine
- 2 Knoblauchzehen
- 2 EL Olivenöl
- 1 TL Honig
- 1 TL Salz

Rohkost

- ½ Gurke
- 1 Kohlrabi
- 250 g Cocktailtomaten

ZUBEREITUNG:

1. Heize zunächst den Backofen auf 180 °C Ober-/Unterhitze vor.
2. Nun entkernst du die Paprika und schneidest diese, zusammen mit der Aubergine, in grobe Stücke.
3. Lege ein Backblech mit Backpapier aus und verteile das Gemüse darauf. Vermenge das Gemüse mit dem Olivenöl und gib das Backblech 30 Minuten lang in den vorgeheizten Backofen.
4. Währenddessen schälst du die Knoblauchzehen und gibst diese mit der Paprika, der Aubergine, dem Honig und dem Salz 8 Sekunden lang auf Stufe 5 in den Mixtopf.
5. Abschließend schälst du den Kohlrabi und schneidest diesen in Stücke. Die Gurke schneidest du in Scheiben. Die Cocktailtomaten halbierst du.

Hinweis:

Dauer: 40 min (Zubereitungszeit 20 min)
Punkte (pro Portion): 5
Nährwerte (pro Portion): 241 kcal, 20 g KH, 5 g EW, 15 g FE

TAG 4

Frühstück:	Vanillequark
Mittagessen:	Blumenkohlsuppe
Abendessen:	Mozzarellaboden mit Gemüse und Hähnchenfleisch
Snack:	Mandel-Parmesan-Cracker

Frühstück

VANILLEQUARK

2 Portionen

ZUTATEN:

- 3 Vanilleschoten
- 50 g Xylit
- 500 g Magerquark
- 2 TL Zimt

ZUBEREITUNG:

1. Leg zunächst ein Backblech mit Backpapier aus. Dann legst du die Vanilleschoten darauf und gibst das Backblech 10 Minuten lang bei 150 °C Ober-/Unterhitze in den Backofen.
2. Lass die Vanilleschoten nun abkühlen und gib sie dann 3 Sekunden lang auf Stufe 10 in den Mixtopf.
3. Füge den Xylit hinzu und mahle alles 30 Sekunden lang auf Stufe 10.
4. Danach gibst du den Quark hinzu und vermengst alles 6 Sekunden lang auf Stufe 4.
5. Verteile den Vanillequark auf 2 Schälchen.

Hinweis:

Dauer: 20 min (Zubereitungszeit 10 min)
Punkte (pro Portion): 6
Nährwerte (pro Portion): 226 kcal, 23 g KH, 30 g EW, 1 g FE

Mittagessen

BLUMENKOHLSUPPE

2 Portionen

ZUTATEN:

- Blumenkohlsuppe, bereits fertig
- Salz und Pfeffer zum Abschmecken

ZUBEREITUNG:

1. Nimm die Suppe bereits am Vormittag aus der Tiefkühltruhe, damit sie auftauen kann.
2. Vor dem Mittagessen erwärmst du die Suppe, schmeckst sie nochmals mit etwas Salz und Pfeffer ab und servierst sie in 2 tiefen Tellern.

Hinweis:

Dauer: 5 min (Suppe bereits zubereitet und eingefroren)
Punkte (pro Portion): 4
Nährwerte (pro Portion): 364 kcal, 20 g KH, 12 g EW, 25 g FE

Abendessen

MOZZARELLABODEN MIT GEMÜSE UND HÄHNCHEN

2 Portionen

ZUTATEN:

- 1 Mozzarella light
- 200 g Putenbrustfilet
- 1 Karotte
- 1 Kohlrabi
- 1 Lauch
- 1 EL Olivenöl
- 2 TL Currypulver
- 1 TL Paprikapulver
- 500 ml Wasser
- Salz und Pfeffer zum Abschmecken

ZUBEREITUNG:

1. Gib zunächst das Wasser in den Mixtopf und hänge das Garkörbchen ein. Lege den Mozzarella in das eingehängte Garkörbchen.
2. Dann schälst du die Karotte und den Kohlrabi und würfelst beides. Den Lauch schneidest du in Ringe.
3. Verteile das Gemüse im Varoma und setze diesen auf den Mixtopf. Lass nun alles 5 Minuten lang im Varoma garen.
4. Nun wendest du den Mozzarella und lässt alles weitere 5 Minuten lang garen.
5. Danach entnimmst du den Varoma und lässt das Gemüse weitere 15 Minuten lang auf Stufe 1 im Varoma garen.
6. Zwischenzeitlich schneidest du das Fleisch in dünne Streifen, würzt diese mit dem Paprikapulver und dem Currypulver und brätst es mit dem Olivenöl in einer Pfanne an.
7. Lege nun ein Backblech mit Backpapier aus und lege den vorgegarten Mozzarella darauf. Lege ein zweites Backpapier darauf und rolle den Mozzarella zu einer Art Boden aus.
8. Abschließend verteilst du das Fleisch und das gegarte Gemüse auf dem Mozzarellaboden und würzt alles mit etwas Salz und Pfeffer.

Hinweis:

Dauer: 40 min (Zubereitungszeit 20 min)
Punkte (pro Portion): 7
Nährwerte (pro Portion): 274 kcal, 10 g KH, 40 g EW, 8 g FE

Snack

MANDEL-PARMESAN-CRACKER

9 Portionen

ZUTATEN:

- 2 Eier
- 165 g Mandeln
- 165 g Parmesan
- 1 TL Salz
- 1 TL Oregano
- 1 TL Paprikapulver

ZUBEREITUNG:

1. Heize den Backofen auf 200 °C Umluft vor.
2. Gib nun die Mandeln und den Parmesankäse für 10 Sekunden auf Stufe 10 in den Mixtopf.
3. Danach fügst du die Eier und die Gewürze hinzu und vermengst alles 15 Sekunden lang auf Stufe 3.
4. Nun legst du ein Backblech mit Backpapier aus und verteilst die Masse darauf.
5. Lege ein weiteres Backpapier darauf und rolle die Masse gut aus.
6. Nun ziehst du das obere Backpapier wieder herunter und schiebst das Backblech 13 Minuten lang in den vorgeheizten Backofen.
7. Abschließend lässt du die Cracker abkühlen und brichst sie in einzelne Stücke.

Hinweis:

Dauer: 20 min
Punkte (pro Portion): 6
Nährwerte (pro Portion): 302 kcal, 2 g KH, 17 g EW, 24 g FE

TAG 5

Frühstück:	Mandelbrei mit Himbeeren
Mittagessen:	Scharfe Currysuppe mit Gemüse und Hähnchenbrustfilet
Abendessen:	Quiche mit grünem Spargel, Bärlauch und Tomaten
Snack:	Haselnussberge

Frühstück

MANDELBREI MIT HIMBEEREN

2 Portionen

ZUTATEN:

- 250 g Himbeeren
- 220 ml Milch, fettarm
- 60 g Mandeln
- 30 ml Mineralwasser

ZUBEREITUNG:

1. Gib zunächst die Mandeln 10 Sekunden lang auf Stufe 8 in den Mixtopf.
2. Danach gibst du Milch und das Mineralwasser hinzu und erwärmst alles 8 Minuten lang bei 100 °C auf Stufe 2 im Linkslauf.
3. Verteile den Mandelbrei auf 2 Schälchen und gib die Himbeeren darüber.

Hinweis:

Dauer: 10 min
Punkte (pro Portion): 8
Nährwerte (pro Portion): 292 kcal, 16 g KH, 11 g EW, 19 g FE

Mittagessen

SCHARFE CURRYSUPPE MIT GEMÜSE UND HÄHNCHENBRUSTFILET

2 Portionen

ZUTATEN:

- 1 Hühnerbrustfilet
- 1 kleiner Blumenkohl
- 1 mittelgroße Zucchini
- 500 ml Wasser
- 85 g Frischkäse
- 2 TL gekörnte Gemüsebrühe
- 2 TL Currypulver
- 1 TL Paprikapulver
- Salz und Pfeffer zum Abschmecken

ZUBEREITUNG:

1. Bereite zunächst die Zutaten zu. Hierfür schneidest du das Hähnchenbrustfilet in Würfel. Den Blumenkohl zerteilst du in Röschen und die Zucchini halbierst du längs und schneidest sie in halbe Scheiben.
2. Nun gibst du das Wasser und die Gemüsebrühe in den Mixtopf und verschließt diesen.
3. Setze nun den Gareinsatz auf und verteile das Gemüse im Gareinsatz.
4. Anschließend setzt du das Einlegesieb auf und legst es mit angefeuchtetem Backpapier aus.
5. Verteile das gewürfelte Hähnchenbrustfilet auf dem Backpapier und würze dieses mit 1 TL Currypulver, dem Paprikapulver und etwas Salz und Pfeffer. Gare nun das Gemüse und das Hähnchenfleisch 20 Minuten lang im Varoma auf Stufe 1.
6. Im Anschluss an die Garzeit entnimmst du das Gemüse und das Fleisch und gibst beides zusammen in eine Schale.
7. Danach gibst du das restliche Currypulver, den Frischkäse und ein Viertel des gegarten Gemüses mit in den Mixtopf. Püriere die Suppe 2 Minuten lang bei 100 °C auf Stufe 10 und schmecke sie mit etwas Salz und Pfeffer ab.
8. Abschließend gibst du die Flüssigkeit über das gegarte Gemüse und Fleisch und vermengst alles miteinander.
9. Verteile die Suppe auf 2 tiefe Teller.

Hinweis:

Dauer: 1 h (Zubereitungszeit 35 min)
Punkte (pro Portion): 1
Nährwerte (pro Portion): 345 kcal, 10 g KH, 44 g EW, 13 g FE

Abendessen

QUICHE MIT GRÜNEM SPARGEL, BÄRLAUCH UND TOMATEN

2 Portionen

ZUTATEN:

- 3 Eier
- 500 ml Wasser
- 1 Bund grüner Spargel
- 6 Stängel Bärlauch
- 6 Stück Kirschtomaten
- 1 Becher Crème Légère mit Kräutern
- 50 g Gouda light
- 1 Prise Muskat
- Salz und Pfeffer zum Abschmecken

ZUBEREITUNG:

1. Gib zunächst das Wasser in den Mixtopf und setze danach den Varoma auf. Dann schneidest du den Spargel in Stücke, gibst diese in den Varoma und gare sie 15 Minuten lang auf Stufe 1. Fülle den gegarten Spargel in ein Schälchen um.
2. Danach entfernst du das Wasser aus dem Mixtopf und trocknest diesen kurz ab.
3. Gib den Gouda 10 Sekunden lang auf Stufe 10 in den Mixtopf. Fülle den Gouda ebenfalls in ein Schälchen um.
4. Du kannst den Ofen nun bereits auf 200 °C Ober-/Unterhitze vorheizen.
5. Danach gibst du die Eier und den Bärlauch 10 Sekunden lang auf Stufe 7 in den Mixtopf.
6. Nun gibst du die Crème Légère mit Kräutern, den zerkleinerten Gouda und die Gewürze in den Mixtopf und vermengst alles 8 Sekunden lang im Linkslauf auf Stufe 5.
7. Lege nun den Spargel in eine flache Auflaufform. Die Kirschtomaten halbierst du und vermengst diese mit den Spargelstücken.
8. Danach verteilst du die Masse über dem Gemüse und gibst die Auflaufform 30 Minuten lang in den vorgeheizten Backofen.

Hinweis:

Dauer: 1 h 15 min (Zubereitungszeit 30 min)
Punkte (pro Portion): 8
Nährwerte (pro Portion): 474 kcal, 11 g KH, 20 g EW, 37 g FE

Snack

HASELNUSS-KEKSE

2 Portionen

ZUTATEN:

- Haselnuss-Kekse, bereits fertig

ZUBEREITUNG:

1. Nimm für den heutigen Snack 10 der Haselnuss-Kekse aus der Dose.

Hinweis:

Dauer: Bereits zubereitet
Punkte (pro Portion): 3
Nährwerte (pro Portion): 77 kcal, 2 g KH, 2 g EW, 1 g FE

TAG 6

Frühstück:	Eiweißbrot mit Tomate, Mozzarella und Ei
Mittagessen:	Gemüseeintopf
Abendessen:	Thunfisch-Fenchel-Salat
Snack:	Himbeerquark

Frühstück

EIWEISSBROT MIT TOMATE, MOZZARELLA UND EI

2 Portionen

ZUTATEN:

Brot

- Eiweißbrot, bereits fertig

Belag

- 2 hartgekochte Eier
- 2 Tomaten
- 1 Mozzarella light
- Salz und Pfeffer zum Abschmecken

ZUBEREITUNG:

1. Das Eiweißbrot ist bereits fertig. Entnimm bereits am Vorabend das restliche Brot aus der Tiefkühltruhe.
2. Vor dem Frühstück kannst du das Brot noch einmal kurz im Backofen aufbacken.
3. Zwischenzeitlich schneidest du die Tomaten, den Mozzarella und die Eier in Scheiben und würzt diese mit etwas Salz und Pfeffer.
4. Abschließend belegst du die aufgebackenen Brotscheiben mit dem Mozzarella, den Tomaten und den Eiern.

Hinweis:

Dauer: 10 min (Brot bereits zubereitet und eingefroren)
Punkte (pro Portion): 8
Nährwerte (pro Portion): 565 kcal, 38 g KH, 43 g EW, 26 g FE

Mittagessen

GEMÜSEEINTOPF

2 Portionen

ZUTATEN:

- Gemüseeintopf, bereits fertig
- Salz und Pfeffer zum Abschmecken

ZUBEREITUNG:

1. Nimm für das heutige Mittagessen die Suppe bereits am Vorabend aus der Tiefkühltruhe.
2. Vor dem Verzehr gibst du die Suppe in einen Topf, erwärmst sie und schmeckst sie abschließend nochmals mit etwas Salz und Pfeffer ab.

Hinweis:

Dauer: 5 min (Suppe bereits zubereitet und eingefroren)
Punkte (pro Portion): 10
Nährwerte (pro Portion): 507 kcal, 25 g KH, 17 g EW, 36 g FE

Abendessen

THUNFISCH-FENCHEL-SALAT

2 Portionen

ZUTATEN:

- 1 Dose Thunfisch
- 2 Tomaten
- 1 Fenchel
- Saft einer Zitrone
- 1 Gurke
- 1 Knoblauchzehe
- 1 EL Olivenöl
- Salz und Pfeffer zum Abschmecken

ZUBEREITUNG:

1. Lass anfangs den Thunfisch gut abtropfen.
2. Danach halbierst du die Tomaten, entfernst den Strunk und schneidest die Tomaten in halbe Scheiben.
3. Viertle nun den Fenchel, entferne den Strunk und gib den Fenchel 5 Sekunden lang auf Stufe 5 in den Mixtopf.
4. Nun gibst du die Tomaten, den Zitronensaft und das Olivenöl hinzu und vermengst alles 1 Minute lang auf Stufe 2 im Linkslauf.
5. Fülle den Salat nun aus dem Mixtopf in eine Salatschüssel um.
6. Nun gibst du die Gurke in groben Stücken in den Mixtopf.
7. Schäle den Knoblauch und gib diesen zur Gurke. Zerkleinere beides 8 Sekunden lang auf Stufe 5. Gib beides zum Salat und vermenge es mit einem Salatbesteck.
8. Würze den Salat mit etwas Salz und Pfeffer und verteile anschließend den Thunfisch darüber.

Hinweis:

Dauer: 15 min
Punkte (pro Portion): 2
Nährwerte (pro Portion): 189 kcal, 7 g KH, 20 g EW, 8 g FE

Snack

HIMBEERQUARK

2 Portionen

ZUTATEN:

- 1 kleiner Becher Magerquark
- 250 g Himbeeren
- 2 EL Milch, fettarm
- 1 EL Agavendicksaft

ZUBEREITUNG:

1. Gib alle Zutaten zusammen in den Mixtopf und vermenge sie 10 Sekunden lang auf Stufe 8.
2. Nun verteilst du den Quark auf 2 Schälchen.

Hinweis:

Dauer: 5 min
Punkte (pro Portion): 4
Nährwerte (pro Portion): 165 kcal, 20 g KH, 17 g EW, 1 g FE

TAG 7

Frühstück:	Käse-Muffins mit Schinkenwürfeln
Mittagessen:	Rindfleisch mit Tomatensoße
Abendessen:	Paprika-Crèmesuppe mit Zwiebelringen
Snack:	Mango-Chia-Quark

Frühstück

KÄSE-MUFFINS MIT SCHINKENWÜRFELNJAVASCRIPT:;

2 Portionen

ZUTATEN:

- Muffins, bereits fertig

ZUBEREITUNG:

1. Nimm die Muffins für das heutige Frühstück bereits am Vorabend aus der Tiefkühltruhe.
2. Vor dem Verzehr bäckst du die Muffins noch einmal im Ofen auf.

Hinweis:

Dauer: 5 min (Muffins bereits zubereitet und eingefroren)
Punkte (pro Portion): 4
Nährwerte (pro Portion): 169 kcal, 1 g KH, 11 g EW, 13 g FE

Mittagessen

RINDFLEISCH MIT TOMATENSOSSE

2 Portionen

ZUTATEN:

- 300 g Rinderfilet
- 2 EL Mehl
- 2 EL Butter
- 2 EL Olivenöl
- 150 ml Rinderbrühe
- 2 EL Tomatenmark
- 1 TL Paprikapulver
- Prise Salz

ZUBEREITUNG:

1. Schneide zunächst das Rinderfilet in dünne Streifen und wende diese im Mehl.
2. Danach gibst du die Butter und das Olivenöl in eine Pfanne und erwärmst sie.
3. Brate das Rindfleisch ca. 5 Minuten in der Pfanne an und fülle es in den Mixtopf um.
4. Danach gibst du die Rinderbrühe dazu und kochst das Rindfleisch 3 Minuten lang bei 100 °C im Linkslauf auf.
5. Füge dann die restlichen Zutaten hinzu, koche alles 20 Minuten lang bei 100 °C im Linkslauf auf und schmecke die Soße abschließend mit etwas Salz ab.

Hinweis:

Dauer: 35 min (Zubereitungszeit 15 min)
Punkte (pro Portion): 13
Nährwerte (pro Portion): 485 kcal, 9 g KH, 33 g EW, 34 g FE

Abendessen

PAPRIKA-CRÈMESUPPE MIT ZWIEBELRINGEN

2 Portionen

ZUTATEN:

- 2 rote Zwiebeln
- 2 Paprika
- 250 ml Gemüsebrühe
- 1 kleine Dose Kokosmilch
- 1 TL Currypulver
- 1 TL Paprikapulver
- 1 EL Olivenöl
- Salz und Pfeffer zum Abschmecken

ZUBEREITUNG:

1. Schäle zunächst die Zwiebel, halbiere sie und schneide sie in Scheiben.
2. Nun gibst du die Zwiebel und das Olivenöl 5 Minuten lang bei 120 C° im Linkslauf auf Stufe 1 in den Mixtopf. Fülle die Zwiebeln für später in ein Schälchen um.
3. Entkerne zwischenzeitlich die Paprika und gib diese in groben Stücken 8 Sekunden lang auf Stufe 7 in den Mixtopf.
4. Danach gibst du die Gemüsebrühe und die Gewürze mit in den Mixtopf und garst alles 10 Minuten lang bei 95 °C auf Stufe 2.
5. Gib anschließend noch die Kokosmilch hinzu und püriere die Suppe 35 Sekunden lang, stufenweise aufsteigend von Stufe 4 hin zu Stufe 8.
6. Schmecke die Suppe abschließend mit etwas Salz und Pfeffer ab, verteile sie auf 2 tiefe Teller und garniere sie mit den Zwiebeln.

Hinweis:

Dauer: 25 min
Punkte (pro Portion): 11
Nährwerte (pro Portion): 338 kcal, 24 g KH, 6 g EW, 23 g FE

Snack

MANGO-CHIA-QUARK

2 Portionen

ZUTATEN:

- 2 EL Chiasamen
- 200 ml Milch
- 1 kleiner Becher Magerquark
- 3 EL feine Haferflocken
- 1 Mango
- 1 Apfel

ZUBEREITUNG:

1. Gib die Chiasamen zusammen mit der Milch 30 Minuten lang in ein Schälchen, um sie quellen zu lassen.
2. Anschließend gibst du die Chiasamen, die Milch, die Haferflocken und den Quark 10 Sekunden lang auf Stufe 1 in den Mixtopf, um alles zu vermengen. Verteile den Quark auf 2 Schälchen.
3. Nun entkernst du den Apfel, viertelst ihn und gibst ihn 10 Sekunden lang auf Stufe 8 in den Mixtopf.
4. Schäle und entkerne nun die Mango und gib sie 5 Sekunden lang auf Stufe 8 zum Apfel hinzu.
5. Verteile nun die Obstmasse über dem Quark in den Schälchen und stelle den Snack 1 Stunde im Kühlschrank kalt.

Hinweis:

Dauer: 1 h 45 min (Zubereitungszeit 15 min, Quellzeit 30 min, 1 h kaltstellen)
Punkte (pro Portion): 5
Nährwerte (pro Portion): 265 kcal, 32 g KH, 20 g EW, 5 g FE

Weitere Rezepte: Gratis E-Book

Hast du dir eigentlich schon das **kostenlose E-Book** heruntergeladen?

Mit dem Kauf von diesem Buch erhältst du als Bonus auf meiner Webseite weitere gratis Rezepte zum Download: Öffne einen Internetbrowser deiner Wahl, auf dem Smartphone oder dem Computer, und tippe einfach folgendes ein:

bonus.anjafinke.com

Du gelangst dann direkt auf meine Webseite und findest dort den Download.

Milton Keynes UK
Ingram Content Group UK Ltd.
UKHW052219250524
443077UK00007B/83